Ik heet Callum Ormond,
Ik ben vijftien jaar
en ik ben voortvluchtig...

COMPLOT 365

FEBRUARI

COMPLOT 365

FEBRUARI

Gabrielle Lord

Nur 280 / AC021001
© Nederlandse editie: Uitgeverij Kluitman Alkmaar B.V., 2010
© Tekst: Gabrielle Lord, 2010
Oorspronkelijke titel: Conspiracy 365 – February
Nederlandse vertaling: Kris Eikelenboom / Vitataal tekst & redactie, Feerwerd
© Omslag: Scholastic Australia, 2010
© Cover photo's of boy: Scholastic Australia, 2010
© Illustraties: Scholastic Australia, 2010
Omslagontwerp: Natalie Winter / Nanette Hoogslag
Illustraties binnenwerk: Rebecca Young
First published by Scholastic Australia Pty Limited in 2010
This edition published under licence from Scholastic Australia Pty Limited.
Opmaak binnenwerk: Grain Grafische Realisatie
Alle rechten voorbehouden, inclusief het recht
van reproductie in zijn geheel of in gedeelten,
in welke vorm dan ook.

www.kluitman.nl
www.complot365.nl

PRINTED IN INDIA

1 februari

Nog 334 dagen te gaan...

Autokerkhof

00.00 uur

De stinkende olie gutste uit een pijp bij mijn rechterhand en vulde gestaag de tank waarin ik opgesloten zat. Ik worstelde om mijn mond boven de stijgende olie te houden en sloeg met mijn glibberige vuisten tegen het ronde luik boven mijn hoofd. Het had geen zin. Er was geen beweging in te krijgen.

Ik hoorde een auto met piepende banden wegrijden. Ik was alleen. Achtergelaten om te sterven.

00.03 uur

Hoe ik ook mijn best deed, ik kon niet voorkomen dat de dikke, kleverige olie mijn gezicht steeds meer bedekte. Mijn mond was er al bijna helemaal onder verdwenen. Ik klemde mijn lippen stijf op elkaar. Wanhopig duwde ik mijn hoofd naar achteren en probeerde mijn neusgaten – mijn laatste hoop om in leven te blijven – omhoog te duwen, zo ver mogelijk weg van de olie die me dreigde op te slokken.

Rustig ademen, hield ik mezelf voor. Ik wist dat

ik zeker zou sterven als de olie mijn neus in liep. De sterke, bijtende damp brandde in mijn ingewanden als een zuur. Door de angst ging ik steeds harder hijgen.

Mijn eigen woorden van nog maar een paar tellen geleden echoden in mijn hoofd. *Rood haar. Paarse zonnebril.* Maar ik had de vrouw die me had ontvoerd nooit gezien. Waarom had ik dat dan in vredesnaam tegen Sligo gezegd?

En wat nog verbazingwekkender was: hij leek meteen te weten wie ik bedoelde. Hij kende blijkbaar iemand van de conferentie die precies aan die beschrijving voldeed!

Mijn hoofd tolde. Wat was er aan de hand? Nog geen maand geleden was ik op zee op het nippertje aan de dood ontsnapt en nu was mijn leven alwéér in groot gevaar.

Alleen was uit deze situatie geen ontsnapping mogelijk.

00.04 uur

De olie had de onderkant van mijn neus bereikt. Nog even en mijn neusgaten zouden volstromen... Ik spande uit alle macht mijn spieren aan en probeerde mijn lichaam nog een millimetertje hoger te krijgen. Het was onmogelijk: ik kon geen kant op. Druppels olie liepen mijn luchtpijp in. *365 dagen...* De waarschuwing van die krankzinnige man raasde door mijn hoofd. In gedachten lachte hij me uit. Ik had het maar één maand volgehouden. Welke dodelijke macht mijn familie ook in de greep had, mij had hij in elk geval te pakken. Nog een paar seconden en ik zou geen lucht meer krijgen... Ik sloot mijn ogen en hoopte dat het snel voorbij zou zijn.

00.05 uur

Ik was er zo op gefocust om rustig te blijven, dat ik het exacte moment waarop het gutsende geluid stopte, niet hoorde. Maar om de een of andere reden was het opgehouden.

De olie stroomde niet meer!

Als door een wonder was het gestopt. Wat was er aan de hand? Ik trilde van top tot teen. Ik was bijna helemaal bedekt met olie, maar ik leefde...

Nog steeds moest ik mijn uiterste best doen om mijn neusgaten vrij te houden, maar ik deed mijn ogen open en luisterde...

Niets.

Ik bewoog mijn arm naar boven, heel langzaam om geen golf te veroorzaken die mijn gezicht zou overspoelen. Ik bonkte op het luik. Daarna duwde ik mijn lichaam nog verder in de hoek, in een poging meer kracht te zetten tegen het luik. Het was verspilde moeite. Er was geen beweging in te krijgen. Ja, de oliestroom was gestopt, maar ik zat nog steeds gevangen.

De opluchting die ik nog maar een paar tellen geleden had gevoeld, sloeg om in ontzetting. Hoe haalde ik het in mijn hoofd dat ik gered was nu er geen
olie meer de tank in stroomde? Dat iemand me te
hulp was gekomen? Zolang ik hier gevangen zat,
had ik geen enkele kans om te overleven.

Mijn gedachten tolden. Misschien was het zelfs
beter geweest als ze de tank wel tot aan de nok
gevuld hadden. Dan zou ik tenminste snel verdronken zijn. Nu zat ik gevangen en zou ik langzaam
stikken of, nog veel erger, sterven van de dorst.

Ik spitste mijn oren in de hoop een geluid op te
vangen van buiten mijn met olie gevulde grafkist,
maar het enige wat ik hoorde was mijn eigen hart-
slag in mijn oren: het gebonk van mijn vechtende
hart.

Hoe kon ik hier ooit uit komen?

'Hé!'

Een stém?

'Jij daar, in die tank,' ging de stem verder. 'Alles
oké?'

Oké? Vroeg iemand me nou of alles oké was?
Begon ik stemmen te horen? Ik was zo licht in mijn
hoofd van de oliedamp en de adrenaline dat ik
niets meer zeker wist. Ik wilde gillen, maar ik kon

op geen enkele manier mijn mond opendoen. Ik moest een geluid zien te maken, hoe dan ook, zodat degene die daar stond snapte dat ik nog leefde. Ik was doodsbang om deze kans te verspelen – als het al een kans was – en voor dood achtergelaten te worden nu de redding zo dichtbij was.

Ik haalde langzaam en voorzichtig adem door mijn neus, deed mijn ogen stijf dicht en begon toen keihard met mijn vuisten op het luik te bonken. De olie spatte over mijn gezicht.

Ik stopte en wachtte.

Ik wist dat ik mijn adem niet veel langer zou kunnen inhouden.

Net toen ik alle hoop op frisse lucht had opgegeven, hoorde ik boven mijn hoofd een piepend, schrapend geluid. Iemand draaide het luik van de tank open!

Het luik werd opgetild en zacht licht viel op de zee van zwart om me heen. Ik trok mezelf omhoog langs de ladder en werkte me spugend en hijgend door het gat naar boven. Mijn neus en mond waren eindelijk vrij, weg van de dodelijke smurrie; ik was terug in het land van de levenden.

Ik hoestte en proestte onbeheerst en schudde mijn met olie bedekte hoofd. Ik klemde me vast aan de rand en liet de onderste helft van mijn lichaam uitgeput in de tank met olie hangen. 'Wie is daar?' kon ik met veel moeite hijgend uitbrengen. De olie spatte van mijn lippen.

Geen antwoord.

'Hallo?' vroeg ik nog eens. Voorzichtig keek ik om me heen.

Beeldde ik me dingen in? Speelde Vulkan Sligo een of ander wreed spelletje met me?

'Waarom kom je er niet helemaal uit? Of hang je daar wel lekker?'

Het was geen verbeelding, ik hoorde een stem. De stem van een meisje. Ik worstelde om mezelf hoger op te trekken. Mijn kleren en schoenen waren zwaar van de olie en mijn voeten gleden weg. Ik stootte mijn schenen hard tegen de sporten van de ladder. Eindelijk lukte het me om helemaal uit de tank te klauteren. Ik rolde me op mijn rug en bleef uitgeput liggen.

Er verscheen iets in mijn blikveld. Ik knipperde met mijn ogen en probeerde te zien wat het was.

Het meisje dat ik eerder bij Sligo in zijn kantoor had gezien, stond over me heen gebogen. Het meisje met de vreemde make-up en het woeste kapsel. Ze staarde me aan met haar amandelvormige ogen.

'Wie ben jij?' vroeg ik schaapachtig. 'Heb jij de kraan dichtgedraaid?'

'Moet je jou zien,' zei ze en ze wees naar me. 'Je ziet eruit als een moerasmonster.'

Wát?

'Nou ja, je ogen en je voorhoofd lijken nog wel

menselijk. Min of meer,' lachte ze.

Na alles wat ik had doorgemaakt, stond dit meisje grapjes over me te maken? Ik probeerde op te staan en zocht naar een gevatte opmerking, maar in plaats daarvan gleed ik uit en viel hard op mijn zij. Toen ik weer overeind ging zitten, hoorde ik haar lachen. Dat meisje lachte me gewoon uit!

'Je zou jezelf moeten zien,' zei ze toen ik bij de tank vandaan kroop. 'Echt, het is heel grappig.'

Opnieuw probeerde ik te gaan staan en deze keer pakte het meisje mijn zwaaiende rechterhand met een verrassend stevige greep beet en hield me overeind. Ik zocht mijn evenwicht zodat ik zonder hulp kon blijven staan, maar toen gleed een van mijn gympen weg en lag ik weer op de grond. Doordat ze mijn hand vasthield, viel het meisje dit keer ook en ze landde onhandig boven op me.

Nu lachte ze in elk geval niet meer. Ze krabbelde overeind en trok een heel vies, met olie besmeurd gezicht. Haar handen en kleren zaten nu ook onder de smurrie. 'Moet je zien wat je hebt gedaan!' riep ze.

'Je lijkt wel een moerasmonster,' bespotte ik haar. 'Je zou jezelf eens moeten zien.'

Ze keek omlaag en probeerde zonder al te veel succes de zwarte troep weg te vegen. 'Ik moet dit schoon zien te krijgen,' zei ze. Het meisje draaide zich vlug om en rende naar een gebouw achter het kantoor waar ik door Sligo was ondervraagd.

Ik volgde haar met soppende schoenen.

00.38 uur

We bevonden ons in een soort wasserij. Het meisje waste haar gezicht boven een grote metalen wasbak. Boven de wasbak waarvoor ik stond, hing een gebarsten spiegel. Ik schrok van mijn eigen spiegelbeeld. Mijn oogwit stak fel af tegen mijn smerige zwarte hoofd en over mijn gezicht liepen kleverige stralen olie. De smurrie drupte op de vloer.

Heel langzaam begon mijn hart tot rust te komen. Ik leefde en was bevrijd uit die afschuwelijke tank.

'Zo zul je niet ver komen,' zei het meisje waarschuwend. Ze keek me met zwart omrande ogen aan. 'Als je je nog schoon wilt maken, kun je maar beter opschieten. Ze zullen zo wel terugkomen om je lijk uit de tank te vissen, en als ze je hier vinden in plaats van daar, ben jij niet de enige die in de problemen zit.' Ze rende heen en weer en keek steeds weer naar de deur achter me. Hoewel ze een mooi gezicht had, stonden haar ogen kil en ze lachte niet meer. Maar toch: ze was achtergebleven om mijn leven te redden, om wat voor reden dan ook.

'Oké,' zei ik, 'maar eerst moet ik mijn rugzak hebben.'

'Ik heb je al genoeg geholpen. Zodra ik schoon ben, ben ik hier weg. Je zoekt het verder zelf maar uit.'

Snel waste ik de olie van mijn gezicht. Ik wist dat ik weinig tijd had om de antwoorden te krijgen die ik zocht, maar dit vreemde meisje zou me toch wel iets kunnen vertellen... 'Hoe zit het met jou?' zei ik. 'Wat heb jij bij Vulkan Sligo te zoeken? En waarom heb je me geholpen?'

Gehaast veegde ze haar gezicht schoon met een handdoek. 'Je wilt weten waarom ik je heb geholpen?' vroeg ze. Ze schudde haar haren naar achteren en droogde daarna wat van de plukken aan de voorkant. Kennelijk had ze geen zin om het eerste deel van mijn vraag te beantwoorden. 'Ik heb je geholpen omdat... omdat je coole piercings hebt,' zei ze.

'Je hebt mijn leven gered vanwege mijn píércings?!' Ik voelde snel of de neppiercings er nog wel zaten. Toen herinnerde ik me Gabi's ring en ik voelde ongerust aan mijn hand of die er nog zat. Toen ik hem vond, greep ik hem stevig beet.

'Bevalt het je soms niet?' zei ze dreigend. 'Trouwens, wat maakt het jou eigenlijk uit? Je leeft toch nog, of niet soms? Vind je dat niet genoeg?'

Dit meisje was werkelijk verbijsterend.

'En als je straks ook nog wilt leven, kun je maar beter opschieten,' voegde ze eraan toe. 'Ik meen het. Sligo kan elk moment terugkomen en als hij me hier aantreft...' Ze zweeg en gooide een tas over haar schouder. 'Dan weet hij dat ik je eruit heb gehaald. Dat moeten we voorkomen. Hij mag niet eens weten dat ik wist dat je in de tank zát.'

'Ik snap het,' zei ik. Ze hoefde me echt niet te waarschuwen. Ik wist alles van gevaar. Sligo had me daarnet bijna laten verdrinken in die rottank. Ik wist waartoe hij in staat was. 'Maar eerst moeten we terug naar het kantoor om mijn rugzak te pakken.'

Het meisje streek over haar natte rok. 'We? Het spijt me, maar zoals ik al zei: daar heb ik geen tijd voor. Ik voel er niet veel voor om net als jij in die tank te belanden. Ik denk niet dat er opeens iemand zal komen opdagen om mij te redden.' Ze pakte haar sjaal van de rand van de wasbak en liep naar de deur.

'Wacht! Hoe heet je, wie ben je?'

Ze liep langs me heen en bleef bij de deur nog even staan. 'Hé, ik kan een paar minuten bij de weg op je wachten. Maar het is echt te gevaarlijk voor me om nog langer hier te blijven. Als je weg weet te komen voor Sligo terug is, neem dan niet de hoofdingang. Je kunt beter door het kleine hek in de hoek van het autokerkhof gaan.' Ze keek op haar horloge en begon te rennen, maar eerst draaide ze zich nog even om en riep: 'Ik wacht een paar minuten, niet langer, oké?'

'Maar, mijn rugzak!' riep ik. 'Het kantoor is op slot.'

Ik kon haar stem nog net horen.

'Er ligt een reservesleutel boven op het raamkozijn.'

00.52 uur

Ik rende naar de trap aan de voorkant van het kantoor en liet natte, donkere voetstappen achter. Snel liep ik de veranda op, strekte me uit en tastte langs de bovenkant van het kozijn aan mijn rechterkant.

Niets.

Ik hoorde een auto dichterbij komen. Dat moest Sligo zijn, of anders een van zijn handlangers, om mijn lijk uit de tank te halen.

Ik sprong omhoog naar het kozijn aan de linkerkant en daar vonden mijn zoekende vingers een sleutel. Ik liet hem bijna vallen – ik was nog steeds aan alle kanten glibberig – maar het lukte me uiteindelijk om de deur open te maken. Mijn rugzak was precies waar ik hem voor het laatst had gezien: in de prullenbak. In één beweging deed ik er een greep naar en glipte ik weer naar buiten. Het geluid van de naderende auto was gestopt. Het autokerkhof leek verlaten. Misschien was het Sligo toch niet geweest.

Ik schopte mijn doorweekte spijkerbroek uit en trok een broek uit mijn rugzak aan. Het kostte me veel moeite om hem over mijn natte huid heen te trekken. Snel schoot ik mijn sweater aan en toen rende ik naar het achterhek. Ik hoopte maar dat dit niet het soort terrein was waar bloeddorstige honden rondslopen.

Plotseling bescheen een fel licht het autokerkhof. Ik draaide me razendsnel om en realiseerde me dat ik in het licht van een paar koplampen stond, als een geschrokken konijn. De auto was vlak achter me.

Ik begon weer te rennen. De felle lampen verschoven en volgden me verder het terrein op.

Twee mannen sprongen uit de auto en kwamen me te voet achterna. Ik sprintte naar de achterkant van het kerkhof, op zoek naar het hek waar het meisje het over had gehad. Ik bleef zo laag mogelijk gebukt rennen en klauterde over roestige auto-onderdelen, auto's onder rottende dekzeilen, motoren en andere machineonderdelen, tot ik een poort in het hek ontdekte.

Ik verliet de beschutting en rende erheen.

01.01 uur

De mannen schreeuwden en holden achter me aan. Ik hield mijn hoofd laag en rende zo hard als ik kon.

Toen ik de weg bereikte, al een flink stuk bij het terrein vandaan, ging ik iets langzamer lopen en keek ik om me heen of ik het meisje ergens zag. Plotseling kwam ze uit de struiken tevoorschijn.

'Rennen!' schreeuwde ik. 'Ze komen eraan.'

Zonder een woord te zeggen voegde ze zich bij me en samen renden we willekeurig de ene na de andere straat in om zo ver mogelijk bij het autokerkhof vandaan te komen. Weg van Sligo. Weg van die tank. Weg van het gevaar.

01.23 uur

Pas na een hele tijd stopten we met rennen. Het geluid van onze achtervolgers was al lang weggestorven. Ik leunde tegen een stenen muurtje en probeerde op adem te komen. Het meisje stond ook stil en hijgde. Ze keek naar de binnenkant van haar handen, die rood waren en vol blaren zaten. Ze moest ze bezeerd hebben bij het dichtdraaien van de oliekraan. Voor mij.

Plotseling keek ze op en betrapte me erop dat ik naar haar handen staarde. 'En je hebt me niet eens bedankt,' snauwde ze.

01.25 uur

'Geloof me,' zei ik smekend, 'ik ben je echt heel dankbaar. Bedankt... Ik weet niet eens hoe je heet.'

Ze negeerde me en wandelde weg. Ze hád mijn leven gered, dus als ze behoefte had aan stilte, kon ze die van me krijgen. Voorlopig in elk geval.

We slenterden samen verder in de hoop dat de afstand tussen ons en de achtervolgers voorlopig groot genoeg was. Ik zweette door de hitte van de nacht en van het harde lopen. Wat een leven.

'Ik weet wél hoe jij heet,' zei ze plotseling. Ze sloeg haar ogen op en verplaatste haar geborduurde tas van de ene naar de andere schouder. 'De hele stad kent je naam. Sligo zeker.'

Van dichtbij zag ik groenige gouden stipjes in haar grijze ogen. Opnieuw vielen me de glitters op die in haar wilde krullen zaten.

'Ik weet het,' zei ik. Maar wat bedoelde ze eigenlijk? Sligo leek me er de man niet naar om interesse te tonen in een op de vlucht geslagen tiener. Er was maar één reden dat hij in mij geïnteresseerd kon zijn: op de een of andere manier moest hij iets te weten zijn gekomen over de enorme ontdekking die mijn vader had gedaan. Sligo wist al van de Ormond-engel en het Ormond-raadsel. Misschien had iemand hem iets verteld over de conferentie in Ierland.

01.32 uur

We waren weer blijven staan en alles was stil en rustig, op de krekels na. Ik had het gevoel dat ik over mijn hele lijf trilde. Waarschijnlijk een soort verlate shockreactie.

Overal om ons heen stonden woonhuizen, waarin de bewoners ongetwijfeld allang lekker lagen te slapen. Ik dacht aan mam, die wakker lag in ons huis een heel eind verderop, en aan Gabi, die hele- maal alleen in het ziekenhuis in leven werd gehou- den. Mam was bijna haar hele familie kwijtgeraakt: eerst pap, op een bepaalde manier ook Gabi, en nu mij. Ik wilde zo graag mijn oude leven terug. Ik wou dat ik niet die opgejaagde jongen was, op de vlucht, levend in een bouwval en aldoor maar proberend alles en iedereen een stap voor te blijven.

'Ik hoor wel eens wat,' onderbrak het meisje mijn gedachten. 'Ik weet dat je iets hebt wat Sligo wil.'

Ik keek de lange straat in. 'En weet je ook wat dat is?' vroeg ik. Het zou fijn zijn als het meisje een paar antwoorden voor me had.

Ze schudde haar hoofd, waardoor de glitters in haar haren schitterden. 'Alleen dat het iets heel groots is en dat hij het koste wat het kost te pak- ken wil krijgen.'

'Dat was me al opgevallen.'

'Maar ik snap heus wel dat jij er niets van weet,' zei ze langs haar neus weg. 'Anders zou je het hem wel hebben verteld. Dat zou iedereen hebben gedaan... Alles liever dan verdrinken in de olie.'

Eindelijk iets waar ik het zonder meer mee eens kon zijn. 'Je lijkt heel wat over me te weten. Dan is het niet echt eerlijk dat ik niet eens weet hoe je heet, of wel soms?' Ik hoopte dat we nu eindelijk een eerlijk gesprek konden voeren. Ik was voorzich- tig, want ik wilde haar niet afschrikken. Ik stond

bij haar in het krijt omdat ze de kraan had dichtgedraaid, maar er waren zo veel vragen die ik haar
wilde stellen. Niet alleen over Sligo en wat hij wist
over mijn vader, maar ook over haar. Ze had me
geholpen, mijn leven gered, maar wat deed ze bij
een man als Sligo? Ik begreep niets van haar. Ze
leek totaal niet op de meisjes die ik van school
kende. En hoe vreemd ze ook was, ik was niet meer
alleen en het was heerlijk dat ik met iemand kon
praten... Iemand die niet probeerde me te vermoorden.

'Ik zal je zeggen hoe ik heet als we er zijn,' zei ze.

'Wáár zijn? Ik dacht dat we alleen ergens vandaan liepen.'

'Nu ga jij mij helpen.'

'O ja? Dat had je dan ook wel eens gewoon kunnen vragen,' zei ik. 'Niemand vindt het fijn om
gecommandeerd te worden, zeker niet door een
meisje zonder naam.'

Met een hand op haar heup keek ze me doordrin-
gend aan. 'Oké. Ik heet Winter,' zei ze. 'Winter Frey.
Zo goed?'

'Aparte naam,' zei ik.

'Dan past hij dus goed bij me,' antwoordde ze.

Ik probeerde iets grappigs terug te zeggen, toen
er een blok verder een auto de straat in draaide. Ik
wachtte niet af om te zien of het een zwarte Subaru was, maar greep Winters hand en trok haar

mee de stoep af, de struiken naast een oprit in. Toen ik haar losliet, zag ik nog net een tatoeage van een vogeltje op de binnenkant van haar linker-pols.

Ze deinsde achteruit en vouwde haar armen beschermend om zich heen. We bukten alle twee en vingen tussen de struiken een paar glimpen op van de auto, die langzaam voorbijreed.

'Sligo's auto,' siste ze.

We wachtten, verborgen in het donker, tot we zeker wisten dat de auto weg was.

Winter keek om zich heen. 'Kom op, we gaan.'

01.49 uur

Mijn lichaam voelde gebroken en ik kon nauwelijks nog lopen. Mijn gezicht was gezwollen van de klappen en mijn schenen en armen deden pijn door het geworstel om uit de tank te komen. Ook trokken er pijnscheuten door mijn geblesseerde rechterschouder. In gedachten zag ik steeds de tatoeage van het vogeltje voor me en ik vroeg me af waarom Winter midden in de nacht met mij op sjouw was, een weggelopen joch dat ze niet eens kende.

'Wat moet jij bij Vulkan Sligo?' vroeg ik nog maar een keer. Ik had mijn hersens suf gepijnigd om het antwoord te vinden op de vraag wat zo'n meisje met zo'n kerel moest.

Onder de beschutting van een grote boom draaide Winter zich naar me om. Ik richtte mijn blik strak op de straat en hield in de gaten of ik niks zag bewegen.

'Wil je weten waarom?'

'Ja, dat vroeg ik toch?'

'Het antwoord is simpel: hij is mijn voogd.'

'Je voogd? Hoezo? Waar zijn je ouders?'

Plotseling voelde de lucht om ons heen heel stil en koud.

'Je stelt te veel vragen,' zei ze.

'Ik wil gewoon wat basisinformatie.'

'Dan zoek je die maar ergens anders, oké?'

Ik haalde mijn schouders op.

'En,' voegde ze er nog aan toe, 'ook al is hij mijn voogd, ik zou nooit bij hem zijn als...'

'Als wat?' vroeg ik. 'Ben je soms ook op de vlucht of zo? Zitten we in hetzelfde schuitje?' Opnieuw keek ik naar het vogeltje op haar pols.

Ze schudde haar haren en er fonkelden duizenden glittertjes. 'Ik heb zo m'n redenen. Heel goede redenen, die ik aan niemand hoef uit te leggen. En hij heeft me nodig. Al was het alleen maar om zijn imago op te vijzelen.'

'Om zijn imago op te vijzelen? Wil hij soms het rechte pad op? Vertel je me nou dat hij braaf wil gaan worden?' Ik kon mijn oren niet geloven. 'Dat is erg grappig. Hij heeft net nog geprobeerd me te vermoorden!'

'Misschien klinkt het jou als een grap in de oren, maar er is iets wat je moet weten over Sligo. Hij heeft ambities. Hij vindt het niet prettig als hij in de media een crimineel wordt genoemd.'

'Hij ís een crimineel. Wat maakt het uit hoe ze hem in de media noemen?'

'Je moet begrijpen dat hij het anders ziet. Hij wil heel graag gezien worden als een eerlijk man, respectabel. Dat is de enige reden dat hij in jou geïnteresseerd is.'

'Zo geïnteresseerd dat hij me wil verdrinken? Ik kan je niet volgen, Winter.'

'Hij wilde je op de een of andere manier gebruiken, maar, nou ja, zijn plannen zijn dus niet echt gelukt. Hoor eens, ik hoef geen verantwoording af te leggen aan jou. Geloof me nou maar als ik zeg dat dat heel grote ding waar hij op uit is, de reden voor die ondervraging, te maken heeft met zijn zielige pogingen om uiteindelijk gerespecteerd en... en bewonderd te worden. Daar gaat het echt om, meer niet.'

De Ormond-singulariteit, dacht ik. Zou die de macht hebben om recht te maken wat krom is?

'Soms verdenk ik hem er wel eens van dat hij mij ook alleen maar gebruikt,' ging Winter verder. 'Mijn familie is – was – heel rijk. We bezaten onroerend goed van de hooglanden tot aan Dolphin Point. Mijn ouders waren allebei heel succesvol en bekend... op hun eigen terrein.' Ze aarzelde en ik voelde een diep verdriet dat ver weg was gestopt.

'Sligo werkte voor mijn vader,' zei ze en haar stem brak. 'Voor het ongeluk,' fluisterde ze.

'Het ongeluk?' vroeg ik voorzichtig.

'Ik wil er niet over praten.' Ze maakte een afwerend gebaar en het volgende moment stonden haar ogen weer kil en keek ze me waarschuwend aan.

Een ongeluk waarbij haar beide ouders om het leven waren gekomen? Ik wilde haar ernaar vragen, maar ik hield me in. Ze had me duidelijk gemaakt dat het onderwerp te pijnlijk was om over te praten. Plotseling leek ze helemaal niet meer zo flink. Het was erg genoeg dat ik mijn vader kwijt was, maar ik had tenminste mijn moeder nog. Min of meer...

'Ik heb een vraag,' onderbrak ze weer mijn gedachten.

'Praat je altijd zo?' vroeg ik. 'Alsof je een heel leger aanvoert?'

Winter hield haar hoofd schuin en negeerde mijn opmerking. 'Het is een doodgewone vraag. Kun je goed inbreken?'

Mansfield Way 113
Dolphin Point

We stonden voor een groot huis dat een eindje van de weg af lag. Eromheen stonden struiken en een indrukwekkend zwart metalen hek. Volgens een glanzende koperen plaat op de poort was het nummer 113. De omliggende huizen waren net zo groot en indrukwekkend, maar die zagen er allemaal keurig netjes uit, in tegenstelling tot dit huis, dat er een beetje verwaarloosd bij stond.

Ik wendde me tot Winter. 'Wil je hier inbreken?' vroeg ik uitgeput. 'Onmogelijk. Je bent niet goed wijs. Het stikt hier waarschijnlijk van de camera's.'

Ze bekeek me van top tot teen. 'Het is niet zo goed beveiligd als het lijkt,' zei ze en ze duwde zonder enige inspanning het hek open. 'Zie je wel? En misschien had ik het anders moeten zeggen; eigenlijk ga ik gewoon op bezoek bij een vriendin.'

'Juist ja,' zei ik. 'En weet je "vriendin" dat je komt?'

'Eh... eigenlijk... Nou ja, het is niet echt een bezoek.'

'En wat is het dan wel?'

'Het is... Oké, misschien moet je het inderdaad wel een inbraak noemen,' zei ze. 'In dat huis is iets wat ik wil ophalen en ik zou het zéér waarderen als je met me meegaat.'

Geweldig, dacht ik. Ik was al op de vlucht, had net een moordaanslag overleefd, werd achtervolgd door criminelen en nu wilde dit meisje dat ik haar hielp bij een inbraak in een villa aan Dolphin Point?

'Nou, heb je daar soms problemen mee?' vroeg ze ijzig en haar ogen vernauwden zich. 'Ik heb je leven gered, weet je nog? En volgens de kranten heb je zelf geprobeerd iemand te vermoorden. Twee keer. "Psycho-tiener" noemen ze je. Wat is vergeleken daarmee een klein inbraakje? Als je me niet wilt helpen, bel ik gewoon míjn Sligo. Die heeft zijn maten hier binnen vijf minuten staan. En in vijf minuten kom jij niet ver.'

Wat mankeerde die meid? Bedreigde ze me nou? Was dat de enige reden dat ze me gered had: om me daarna te misbruiken? Was ze iemand die mensen alleen maar gebruikte, net als Sligo?

Blijkbaar voelde ze mijn veranderde stemming aan, want ze zei snel: 'Trouwens, het is geen diefstal.' Ze trok me met zich mee het hek door. 'Het meisje dat hier woont, heeft iets heel belangrijks dat van mijn moeder was. Ik wil alleen ophalen wat van mij is.'

'En waarom vraagt je moeder het zelf niet terug?' vroeg ik. Ik wist dat ze kwaad zou worden over die vraag. Mijn woorden waren mijn mond nog niet uit of ik wilde ze terugnemen.

Winter keek weliswaar snel van me weg, maar ik had het intense verdriet dat op haar gezicht te lezen stond al gezien. Ze greep mijn trui en trok me naar beneden achter een dichte struik. 'Mijn moeder kan helemaal nergens meer om vragen,' fluisterde ze woest in mijn oor. 'Mijn moeder is dood.'

Ik rukte me los. 'Sorry,' fluisterde ik.

Winter haalde haar schouders op.

'Ik had het niet moeten zeggen... Ik weet hoe je je voelt,' zei ik toegeeflijk.

Winter keek me boos aan. 'O ja? Wéét jij dat? Hoe zou jij dat moeten weten? Jij bent gewoon een suf, verwend schooljochie dat plotseling in de problemen is geraakt. En die nu denkt dat hij er alles van weet. Poeh!'

'Hoor eens,' zei ik. 'Even dimmen. Wil je dat ze ons te pakken krijgen?' Ik had geen enkele behoefte om haar iets over mezelf te vertellen. Ik zag dat ze naar woorden zocht.

Haar ogen vernauwden zich toen ze verder praatte. 'Maar goed, de vent die hier woont, haar vriendje, werkt als lijfwacht voor Murray Durham...'

'Murray Durham?' Ik kapte haar woorden af in de hoop dat ze zich vergiste. 'Dat is een nog grotere crimineel dan Sligo! Je weet hoe hij aan zijn bijnaam "Teenhakker" komt, hè? Dat spreekt min of meer voor zichzelf, lijkt me.'

Dit werd met de minuut erger. Winter Frey bracht me in contact met nog een crimineel. Ik had niet gedacht dat ik ooit zou praten met iemand die zowel Vulkan Sligo als Teenhakker Durham kende. Alhoewel, sinds de ontmoeting met die idioot op oudejaarsdag leek ik alleen nog maar in aanraking te komen met criminelen.

'Heel lang geleden waren Durham en Sligo bevriend, maar nu zijn het gezworen vijanden. Sligo mag niet merken dat ik contact heb met iemand die ook maar in de verste verte iets te maken heeft met Durham. Hij zou zijn handen van me af trekken. Mijn leven hangt ervan af... Nou ja, mijn toelage hangt ervan af.' Winter leunde naar voren en gluurde om de bosjes heen naar het huis. 'Ik heb Sligo op dit moment waarschijnlijk net zo hard nodig als hij mij.'

'Zakgeld?' informeerde ik.

Ze onderdrukte een lach. 'Zo zou je het kunnen noemen. Trouwens,' voegde ze eraan toe, 'het is gemakkelijker om het zo te doen. Om een lang verhaal kort te maken: mijn ketting is terechtgekomen bij de vriendin van de bodyguard. Ik ben hier al zo vaak binnen geweest; ik weet precies waar hij ligt.'

Bij het woord 'ketting' gingen de haren in mijn nek rechtovereind staan. Sligo had me doorgezaagd over een sieraad en iemand had uit de koffer van pap een sieraad gestolen. Was het toeval? Had het meisje het op de een of andere manier in handen gekregen? 'En die ketting is van jou?' vroeg ik.

'Dat zei ik toch? Mijn moeder en vader hebben hem voor me achtergelaten. Voor mijn tiende verjaardag.'

'Dus je hebt hem niet nog maar net?'

'Jahaa,' zei ze en ze rolde met haar ogen. 'Ik ben gisteren tien geworden, nou goed. Wat is dit, een kruisverhoor of zo? Maar goed, ons probleem op dit moment is de bodyguard. Hij is waarschijnlijk aan het werk, maar ik weet het niet zeker.'

'Dus we breken in in het huis van de bodyguard van Teenhakker en hij zit ons misschien binnen op te wachten?'

Winter knikte. 'O, wat een slimme jongen,' zei ze sarcastisch. 'Precies, zo zit het. Genoeg gekletst nu, kom op.'

02.08 uur

Langzaam liepen we achter de bosjes die langs de oprit stonden in de richting van de zware dubbele deur.

Plotseling trok Winter aan mijn arm. 'Niet die kant op,' siste ze. 'Kom achter mij aan.' Ze leidde me om het huis heen naar de achterkant, langs hoge ramen met gesloten gordijnen, tot we bij een trapje kwamen dat naar een kleinere deur leidde.

Ze pakte een creditcard, schoof die tussen de deur en het slot, gaf hem een handige draai en duwde de deur zachtjes open.

Ik was onder de indruk. Misschien kon ik nog wat van haar leren.

We slopen het huis binnen en de gang door. Ik hoorde het geluid van een televisie en tikte Winter op haar schouder. Met haar vinger op haar lippen draaide ze zich om en gebaarde ze naar voren.

In de salon aan het eind van de gang zat een man voor een enorm plasmascherm onderuitgezakt in een zwarte leren fauteuil. De lijfwacht, waarschijnlijk. Op het witte, dikke tapijt aan zijn voeten lag het meisje te slapen, opgerold als een kat.

Winter wees naar een deur aan de andere kant van de kamer. We moesten achter ze langs sluipen om er te komen.

De man zat naar een oorlogsfilm te kijken met veel harde ontploffingen, schoten en geschreeuw. Ik vroeg me af hoe het meisje daar in vredesnaam doorheen kon slapen. De man leek helemaal in de actie op te gaan, maar ik wilde er niet aan denken wat er zou gebeuren als hij zich omdraaide en twee jonge inbrekers in zijn huis zou aantreffen.

Onder dekking van het lawaai van de televisie slopen Winter en ik stapje voor stapje de salon binnen, met onze ruggen strak tegen de muur gedrukt. We gleden langs de muur en passeerden de man op nog geen meter afstand. We waren bijna aan de andere kant van de kamer toen hij zich plotseling omdraaide. Gelukkig niet onze kant op; hij keek de gang in, waar we net vandaan waren gekomen. Had hij iets gehoord?

We verstijfden, doodsbang dat hij ons zou zien, maar het gegil van een kind in de film trok zijn aandacht en hij keek weer naar het scherm.

We slopen langs het laatste stukje muur en glipten toen de deur door, een trap op. Ik volgde Winter door een slecht verlichte gang met tapijt op de vloer, langs verschillende gesloten deuren en een paar grote potten met stekelige planten. Winter leek precies te weten waar ze heen moest.

Nadat we een van de kamers in gedoken waren, sloot Winter de deur achter ons en knipte ze een lamp aan. We waren duidelijk in een meisjeskamer. De muren en gordijnen waren zachtroze en er lagen kussens in alle denkbare tinten roze op de witte kanten sprei die over het bed lag. Gabi zou het prachtig hebben gevonden.

Winter liep direct naar een toilettafel met een sierlijke spiegel in een glazen lijst. Ze trok het bovenste laatje open en haalde er een roodfluwelen muziekdoosje uit. Binnen een paar tellen had ze er een lange ketting met daaraan een hartvormig medaillon uit gehaald. Met een triomfantelijk gezicht liet ze de ketting in haar zak glijden, knikte me toe, knipte de lamp uit en deed de deur voorzichtig open.

We haastten ons de kamer uit, de trap af. Zachtjes slopen we over het tapijt. We hoefden niet weer door de salon; hopelijk was het naar buiten gaan makkelijker dan het binnenkomen.

02.20 uur

Winter deed de voordeur open, maar doordat hij klemde, maakte dit een geluid dat zeker in de woonkamer te horen was.

'Wie is daar?'

'Wat is er, schat?' klonk de slaperige stem van het meisje op het kleed.

'Er is iemand in huis!'

Ik aarzelde geen moment. Deze keer greep ik Winter beet en sleepte haar zo snel als ik kon mee de voordeur door, het pad langs en het hek van nummer 113 uit. Pas toen we de straat weer hadden bereikt, liet ik haar los.

Haar voetstappen klonken naast me terwijl we over de stoep raceten, linksaf, rechtsaf en weer naar links tot we eindelijk dachten dat we veilig waren en ons op het grasveld van een door de maan beschenen parkje lieten vallen. Hijgend en puffend keken we naar de lucht.

'Die stomme voordeur.' Ze ging rechtop zitten. 'Ik was vergeten dat die altijd zo'n kabaal maakt.'

Winter stak haar hand in haar zak en haalde twee chocoladerepen tevoorschijn. Ze hield er een voor mijn neus.

Ik kwam overeind, greep hem uit haar hand en haalde het papiertje eraf. 'Bedankt. Waar heb je die vandaan?'

'Laten we zeggen dat ik ook weet waar mijn vriendin haar geheime voorraadje chocola bewaart,' antwoordde ze met een grijns.

'Het was wel duidelijk dat je daar eerder binnen bent geweest.'

'Ik ben in dat huis opgegroeid,' zei ze.

Ik herinnerde me ineens dat ze het over een rijke familie had gehad. 'Echt?' vroeg ik. 'Er woont een oom van me ergens in die buurt.'

02.41 uur

Winters mobiel ging. Ze sprong op en haalde hem uit haar tas. Ik keek toe hoe ze wegliep om het telefoontje te beantwoorden en vroeg me af wie haar op dit tijdstip zou kunnen bellen.

Hoe was ik hierin verzeild geraakt? Alsof ik nog niet genoeg aan mijn hoofd had...

'Ik ga wat drinken,' zei ik tegen Winter toen ze terugkwam. Ik ging op mijn pijnlijke benen staan en liep naar een fonteintje in het midden van het park. Ik dronk met gulzige slokken en gooide wat water over mijn gezicht en nek in een poging af te koelen. Toen ik weer rechtop ging staan, vroeg ik me af hoe ik erachter kon komen of haar verhaal over die ketting waar was. Haar verdrietige ogen leken de waarheid te spreken, maar ze had iets over zich wat niet erg vertrouwenwekkend was. Ik dronk nog een paar slokjes voor ik terugging naar het grasveld waar ze zat, vastbesloten meer aan de weet te komen.

In het licht van de lantaarn zag ik dat Winter mijn rugzak doorzocht! 'Hé, hou daarmee op,' riep ik en ik rende naar haar toe. 'Wat doe je daar? Dat kun je niet maken. Blijf met je poten van mijn spullen af!'

Alles lag verspreid over het gras, inclusief paps tekeningen en het overtrekpapier dat ik in zijn koffer had gevonden met de woorden 'G'managh' en 'Kilfane' erop. Woedend begon ik mijn spullen bij elkaar te rapen, tot ik zag dat ze zat te grinniken. Ze had een van de tekeningen van de engel in haar hand.

'Geef hier!' Ik probeerde het papier uit haar vingers te trekken, maar ze hield het buiten mijn bereik. En net toen ik haar eens goed duidelijk wilde maken wat ik van haar vond, zag ik haar ogen.

Voor het eerst leken ze te leven; ze schitterden zelfs.

Ze wees op de engel en op de brief van mijn vader. 'Waar heb je dit vandaan?' vroeg ze. 'Ken jij hem ook?'

154

'De engel?' vroeg ik. 'Weet jij meer over de engel?'
Door de opwinding vergat ik mijn boosheid.

'Natuurlijk! Ik weet waar hij is. Ik heb hem zo
vaak gezien.'

Waar had ze het over? De hele wereld stelde
alleen maar vragen over de engel en nu beweerde
dit meisje dat ze er alles van wist?

'Hoe lang weet je al van hem af?' vroeg ze.

'Ik weet niets van hem af, ik heb alleen die tekening. Die heeft mijn vader gemaakt. Hoezo? Wat
weet jij ervan? Wat heeft het te betekenen?'

De manier waarop Winter paps tekening vasthield, alsof die van haar was, beviel me allerminst, dus ik griste het papier uit haar handen.

Het gezicht van Winter kreeg weer de koude, arrogante uitdrukking die het altijd had.

'Alsjeblieft,' drong ik aan. 'Vertel me alles wat je ervan weet.'

'Waarom? Wat heb jij ermee te maken?'

Ik ging weer op het gras zitten. 'Mijn vader heeft die engel vlak voor zijn dood getekend.'

De sfeer tussen ons veranderde meteen.

'Je vader is dood?' vroeg ze.

Ik knikte.

Winter haalde voorzichtig de ketting uit haar zak. 'Dan begrijp je ook,' zei ze met een veel zachtere stem, 'waarom dit zo ontzettend belangrijk voor me is.'

'Jij hebt je vader ook verloren, hè?' vroeg ik. Ik begreep inderdaad waarom ze de ketting tegen zich aan drukte alsof die het laatste overblijfsel was van een verloren vriend. Het was precies de manier waarop ik de tekeningen van mijn vader vasthield.

Haar ogen vulden zich met tranen. Ze keek van me weg zonder antwoord te geven, maar dat antwoord had ik al.

Ik had niet gelogen toen ik zei dat ik wist hoe ze zich voelde. Bij wat voor ongeluk was ze zowel haar vader als haar moeder kwijtgeraakt? Ik wist ook dat het nu niet het juiste moment was om ernaar te vragen.

Ze bleef een paar tellen zwijgend de andere kant op kijken, pakte toen het medaillon, deed het open en gaf het aan mij. Er zaten twee fotootjes in. Een van een Aziatische man met zwart haar, wiens doordringende ogen op dezelfde manier schuin stonden als die van Winter, en daarnaast een blonde vrouw die dezelfde smalle kin had als Winter.

'Je lijkt op allebei je ouders,' zei ik toen ik het medaillon teruggaf.

'Echt?' vroeg ze. 'Het is moeilijk om op de een of de ander te lijken als je moeder blond is en je vader Chinees.'

Op de achterkant van het zilveren hartje waren heel fijntjes onder een Chinees karakter de woorden 'Kleine Vogel' gegraveerd.

Op dat moment ging haar mobiel weer. Ze griste het medaillon uit mijn handen en liep weg om het telefoontje te beantwoorden.

Ik wachtte en dacht intussen na over haar opwinding bij het zien van de tekening van de engel. Ik vroeg me af wat er met haar ouders was gebeurd. Was er een verband tussen haar en de Ormondengel? Winter was me veel antwoorden schuldig, maar ik wist dat ik heel voorzichtig en geduldig zou moeten zijn.

Ik kon niet verstaan wat ze zei, maar het gesprek duurde niet erg lang en al snel zat ze weer naast me.

Ze keek me recht in de ogen. 'Ik moet gaan,' zei ze. 'Hij zit me weer op m'n nek.'

'Sligo?'

'Godzijdank zijn er mobieltjes. Hij denkt dat ik thuis ben. Hij is razend omdat jij bent verdwenen, maar hij vermoedt niet dat ik er iets mee te maken heb. Gelukkig maar. Hij denkt nog steeds dat hij me aan de lijn kan laten lopen. Stel je voor. Als hij wist waar ik was en met wie...'

'Hoor eens,' zei ik snel, want ik wilde de gelegenheid niet voorbij laten gaan, 'ik moet meer weten over de engel. Het is heel belangrijk.' Hoewel ik niet zeker wist wat ik aan dit meisje had, voelde ik me opgewonden worden bij het idee van een doorbraak. Misschien stond ik wel op het punt een van de geheimen te ontrafelen die verstopt waren in mijn vaders tekeningen.

'Eerst wil ik weten waarom het zo belangrijk voor je is,' zei ze. 'Als je me dat vertelt, zal ik je de engel laten zien die ík ken.'

Dit meisje ging om met criminelen en deinsde er niet voor terug om bij andere mensen in te breken. Vertelde ze wel de waarheid?

Winter liep al weg voor ik in de gaten had dat ze vertrok.

'Hé, terugkomen,' riep ik haar achterna.

'Alleen als je me vertelt waarom die engel zo belangrijk is,' riep ze terug. 'Waarom Sligo bereid is een moord te plegen om er meer over te weten te komen.'

Ik wist niet wat ik moest zeggen. Als ik haar vertelde over de Ormond-singulariteit en het verband met de tekeningen van mijn vader, kon ze rechtstreeks naar Sligo gaan en hem alles vertellen. Ik wílde haar wel vertrouwen, maar alles wat ik over haar wist, zei me dat ik dat beter niet kon doen.

Ik sprong op en rende achter haar aan. Ik haalde haar in toen ze bijna bij de straat was. 'Je moet me vertellen waar ik die engel kan vinden!'

Ze draaide zich om en gooide haar haren naar achteren. 'Ik moet helemaal niks. Niemand vertelt me wat ik wel of niet moet doen. Bel me maar,' zei ze, 'als je bereid bent een deal te maken. Dan zal ik erover nadenken.' Ze draaide zich om en rende weg.

'Ik heb je nummer niet eens.'

'Kijk maar in je mobiel, Callum Ormond.'

Ik rende terug naar mijn rugzak en haalde mijn telefoon eruit. Ik klapte hem open en er zat een nieuwe screensaver op: Winter in het maanlicht. Ook stond er een nieuw nummer in mijn telefoonboek.

Onderduikadres
St. Johns Street 38

06.05 uur

De vogels in de bomen langs de straat begonnen net te kwetteren toen ik onder het huis door kroop naar het gat in de vloer. Binnen rook het behoorlijk muf en smerig, dus zette ik de achterdeur open om wat frisse lucht binnen te laten.

Ik had me niet gerealiseerd hoe hongerig ik was tot ik begon te eten, maar toen werkte ik dan ook meteen een half oud brood weg.

Ik bleef me maar afvragen of ik Winter kon vertrouwen. Ik móést de engel vinden waarvan zij zei dat ze hem kende, maar ik durfde haar niet in vertrouwen te nemen. Ik had al genoeg ellende met Sligo en de vrouw die me eerst had ontvoerd en die op de een of andere manier in mijn herinnering bleef hangen als een vrouw met rood haar. Ik kon het risico niet lopen dat zij nog meer van me te weten kwamen.

De kleine Keltische ring die Gabi me had gegeven glinsterde aan mijn vinger. 'Zorg dat je weer beter wordt, kleine Gabster,' fluisterde ik en ik stelde me haar voor, stil en slapend in een bed op de intensive care.

Ik pakte mijn slaapzak tevoorschijn en ging liggen.

14.01 uur

'Gast, je leeft nog,' zei Boges toen ik mijn telefoon opnam.

'Nog maar net.'

'Ik probeerde je gisteravond te bellen, maar je had zeker geen bereik. Wat is er gebeurd? Waar was je?'

'O, da's een lang verhaal.' Ik zuchtte, kwam overeind en rekte me uit. Wat er gisteravond op het autokerkhof was gebeurd, was alleen nog maar een wazige herinnering.

'Ik schrik nergens meer van. Je kunt me vertellen wat je wilt: ik geloof het.'

Op de achtergrond hoorde ik mevrouw Michalko roepen.

'Shit, ik moet ophangen. Mijn moeder komt eraan. Ik kom zo snel als ik kan, oké?'

2 februari

Nog 333 dagen te gaan...

De hele dag zat ik binnen in mijn schuilplaats te proberen iets zinnigs te ontdekken in de tekeningen en te hopen dat Boges zou komen opdagen. Ik hoorde op straat mensen lachend en pratend langslopen, terwijl ik als een kakkerlak rondscharrelde in het donker.

De plannen om bij mijn oudoom in Mount Helicon langs te gaan, waren door Sligo volledig in de war geschopt. En hoewel ik er heel graag heen wilde in de hoop dat ik daar antwoorden zou kunnen vinden, leek het me beter om me een paar dagen gedeisd te houden.

Het leek wel of Winters mobiel altijd uit stond. Ik werd er gek van. Wat had ik aan haar nummer als ze me toch nooit wilde spreken? Ik had zó genoeg van al die onbeantwoorde vragen.

Ik voelde me alleen en eenzaam en wou dat ik naar huis kon. Eén keer belde ik mam en ik liet een berichtje achter op haar voicemail, alleen om haar stem te horen en zodat zij de mijne kon horen. Ik zei dat het goed met me ging en dat ze zich geen zorgen moest maken.

Ook dacht ik weer aan mijn kleine zusje in haar

ziekenhuisbed terwijl de politie jacht maakte op haar vijftienjarige broer... Ze zouden haar beter kunnen beschermen tegen die idiote vrouw en mensen als Sligo, die allemaal achter paps geheim aan zitten en bereid zijn iedereen die hen dwarszit, uit de weg te ruimen.

Het was niet eerlijk. Ik had niets verkeerd gedaan, maar ik zat hier in een soort eenzame opsluiting, ver van de mensen die ik wilde beschermen. Ik moest lang genoeg in leven zien te blijven om het mysterie van mijn vader op te lossen.

3 februari

Nog 332 dagen te gaan...

02.11 uur

Ik werd steeds maar weer wakker omdat ik dacht dat pap me riep.

Ik lag te woelen en te draaien, niet helemaal wakker, maar ik sliep ook niet echt. In die halfslapende toestand zag ik de versleten speelgoedhond uit mijn nachtmerries. Dreigend zweefde hij door mijn gedachten, somber en kil. Ik was de laatste tijd zo vaak aan de dood ontsnapt dat ik niet begreep waarom dit beeld me zo op mijn zenuwen werkte. Storm op zee, haaien, in een kofferbak gegooid worden, bijna verdrinken in de olie... Dat waren angstaanjagende dingen die ik wél begreep.

09.33 uur

Mijn ogen vlogen open. Iets had me ruw uit mijn slaap gehaald. Ik spitste mijn oren en hoorde een dof gebonk dat van buiten leek te komen. Ik dacht meteen aan Winter, dat ze mij en mijn geheimen had uitgeleverd aan Sligo.

Ik kroop naar een van de dichtgetimmerde ramen. Er sloop duidelijk iemand rond daar buiten; ik hoorde voetstappen in het lange gras.

Ik zocht het gat in de vloer, dook erin en trok het

tapijt eroverheen. Diep weggedoken in de rommel en spinnenwebben probeerde ik te bepalen waar de voetstappen heen gingen.

Ze waren gestopt. In elkaar gedoken onder de vloerplanken kroop ik in de richting van het licht en de begroeiing om de veranda.

Ik moest mijn hoofd laag houden om me niet te stoten tegen de doorgezakte vloer boven mijn hoofd. Ik kromp in elkaar toen mijn toch al pijnlijke rechterschouder onzacht in aanraking kwam met de fundering.

Het licht voor me verschoof plotseling en verdween achter een figuur die in mijn richting kroop. Er was iemand bij me onder de vloer!

Onhandig bewoog ik naar achteren. Als ik het gat in de vloer weer kon bereiken en iets zwaars over de opening kon schuiven, zou ik misschien een kans hebben om te vluchten. Tenzij daar binnen ook iemand op me wachtte.

'Cal? Ik ben het.'

Bóges!

'Cal?' vroeg hij nog een keer.

Ik tuurde door het stof en de duisternis onder het huis. Toen het stof was neergedaald zag ik tot mijn schrik het gezicht van Boges terugkijken op een paar centimeter van mijn eigen gezicht. 'Natuurlijk ben ik het. Wie zou zich anders hier in het donker verstoppen?'

'Boges, ik kreeg bijna een hartaanval,' ging ik verder.

'Sorry. Er reed net een politiewagen door de straat en ik dacht dat dit de veiligste weg zou zijn. Lekker optrekje heb je hier,' zei hij lachend. Hij veegde de kleverige spinnenwebben van zijn gezicht.

Boges lachte in zichzelf toen we ons samen ophesen en het huis in gingen.

'Dat ruikt lekker, voor de verandering,' zei ik toen hij zijn tas openmaakte en me een enigszins gekreukt pakje met broodjes en friet toegooide. 'En ze zijn nog warm!'

'Jawel, maar eet je wel genoeg fruit, jongeman?' zei hij met zijn beste mevrouw-Michalko-stem en hij gooide een paar appels en een banaan naar me toe.

'O, dankjewel, mam,' deed ik mee.

Als laatste pakte hij zijn laptop, daarna maakten we het ons gemakkelijk op de vloer en begonnen we te eten.

'Nog nieuws over Gabi?' vroeg ik.

Boges stopte met kauwen. 'Nee. Geen verandering. Ze is nog steeds niet bij kennis. "Ernstig, maar stabiel".'

Stabiel. Dat woord zorgde ervoor dat het allemaal niet zo heel erg meer leek.

'En mam?'

Boges maakte een soort neutraal grommend geluid. 'Gaat wel. Ik ben gisteravond even bij haar geweest. Ze beklaagde zich over een van de collega's van je vader, Eric nog wat, en zei hoe teleurgesteld ze was dat hij geen contact met haar had opgenomen.'

'Dat zal Eric Blair zijn. Die was tegelijk met mijn vader in Ierland, alleen werkte hij aan een ander project.'

'Misschien kan hij ons helpen,' opperde Boges. 'Wat voor iemand is het?'

'Ik heb hem een paar keer aan de telefoon gehad als hij mijn vader moest spreken, meer niet. Hij klonk wel aardig. Volgens mij vond pap het een goeie vent. Maar je hebt helemaal gelijk. Misschien kan hij ons meer vertellen over wat er in Ierland gebeurd is.'

'Wie weet. Maar goed, die Eric heeft het dus verbruid bij je moeder. En wat jou betreft... Nou ja, ze is er nog steeds van overtuigd dat je bent ingestort of zo. Dat het een reactie was op alles wat er met je gebeurd is. Op een gegeven moment mompelde ze zelfs iets van dat ze altijd had geweten dat deze dag zou komen. Maar toen ik vroeg wat ze bedoelde, deed ze net of ze niks had gezegd. Echt heel vreemd, Cal. Ik weet het niet, ze lijkt zo... leeg. Alsof ze strijd voert met iets in zichzelf, iets wat haar zegt dat je onschuldig bent. Ik zei tegen haar dat je zoiets nooit zou doen, ik zei dat je echt onschuldig was: "Kom op, mevrouw. We hebben het over Cal," en toen klopte ze me op mijn arm alsof ze medelijden had met míj.' Boges keek me hulpeloos aan en krabde op zijn hoofd. Het was net of hij wel begreep dat ik moest weten wat er allemaal speelde, maar dat hij niet degene wilde zijn die het me vertelde.

'Ik heb geprobeerd om uit te leggen dat jouw vingerafdrukken alleen maar op het pistool stonden omdat je had ingebroken bij je oom, maar het had geen zin, Cal. Ik zag dat ze niet naar me wilde luisteren. Het lijkt wel of ze denkt dat ik verhaaltjes verzin om jou te beschermen, alsof ik de sukkel ben omdat ik geloof dat mijn vriend vals wordt beschuldigd. Weet je, Rafe heeft een paar heel nare dingen gezegd over jouw "instabiele mentale toestand" en "recente agressieve gedrag". Hij is ervan overtuigd dat jij Gabi hebt aangevallen en dat jij degene was die hem heeft neergeschoten. Wat moet je dan nog zeggen?'

'Wat is er mis met die vent?! Instabiel? Agressief? Laat hij zijn mond liever houden over die dag in de keuken. Ik probeerde alleen mijn post te pakken toen die stommeling over zijn eigen voeten struikelde. Ik heb hem met geen vinger aangeraakt. Hij loog toen over het stelen van die tekeningen en nu liegt hij hier ook over.'

'Maar waarom zou hij liegen?' antwoordde Boges, meer als mededeling dan als vraag.

'Ik weet het niet. Ik vind hem misschien een loser en een leugenaar, maar ik zou hem nooit zoiets aandoen.'

Boges pakte een handje friet. 'Nou ja, iemand anders wel dus.'

'En degene die dat met Rafe heeft gedaan, heeft er ook voor gezorgd dat mijn zusje nu in coma ligt.' Ik vloekte en schopte tegen de poot van een kapotte stoel. 'Alsof ik ze kwaad zou doen!'

'Ik weet het, ik weet het. Rustig maar. Zo denkt hij er nou eenmaal over.'

'Ik snap het gewoon niet.' Ik legde mijn half opgegeten broodje neer. 'Hij liegt. En niemand behalve ik wil dat geloven. En jij. Volwassenen luisteren naar volwassenen. En wat een kind zegt, is blijkbaar niet belangrijk.'

'Cal, het is niet alleen wat hij zegt. Je vergeet de vingerafdrukken op het wapen.'

'Ja, en zoals jij al zei, weten wij precies hoe die daar komen. Ik begrijp het gewoon niet. Wij weten dat het zijn pistool moet zijn omdat mijn vingerafdrukken erop staan. Misschien wist hij dat er iets ergs ging gebeuren. Misschien had hij het bij zich uit zelfverdediging... Ach, wat doet het er ook toe,' zei ik, gefrustreerd door al dat zinloze gegis.

We leunden alle twee naar achteren en staarden

een tijdje uitdrukkingsloos naar het plafond.

'Dus... ik durf het bijna niet te vragen...' zei Boges aarzelend. 'Wat is er gisteravond gebeurd? Je zei dat het een lang verhaal was.'

Ik had eigenlijk gehoopt dat hij me die vraag niet zou stellen. Ik zuchtte en lichtte hem in, van de explosie in het casino nadat we waren gevlucht voor de beveiligingsmannen bij de parkeergarage van Liberty Park, tot het moment dat ik als oud vuil in een ondergrondse olietank werd gedumpt.

11.02 uur

'Gevangen in een tank?!' schreeuwde Boges. 'Wilde hij je daarin verzuipen?'

'Hé, niet zo hard. Ja, een olietank. Ik dacht dat ik er geweest was. De olie liep al over mijn mond en net toen ik dacht dat alles voorbij was, draaide iemand de kraan dicht en stopte de stroom.'

'Wie? Wie draaide de kraan dicht?'

'Een meisje.'

'Een meisje?! Wie, wat?'

'Ze heet Winter Frey. Ze zegt dat Vulkan Sligo haar voogd is.' Ik zag Boges' wantrouwen snel groter worden. 'Hij schijnt vroeger voor haar vader te hebben gewerkt, ik weet niet hoe lang geleden. Haar ouders waren nogal rijk, maar ze zijn alle twee bij een soort ongeluk om het leven gekomen. Sinds die tijd zorgt Sligo voor haar.'

'Als ze bij hem hoort, waarom heeft ze jou dan gered?' wilde Boges weten.

'Weet ik niet.' Op die vraag wilde ik ook het antwoord wel weten. 'Misschien kon ze niet werkeloos toezien hoe ze me vermoordden.' Ik herinnerde me dat ze had gezegd dat Sligo niet wist dat ze had gezien dat ze me in de tank gooiden. Dat betekende waarschijnlijk dat ze alles vanuit een schuilplaats had gevolgd.

'Volgens mij is ze financieel van hem afhankelijk,' ging ik verder, 'maar ik geloof niet dat ze meegaat in zijn misdadige levensstijl, mensen verdrinken en zo. Volgens haar is hij serieus bezig om geaccepteerd te worden, je weet wel, een steunpilaar van de maatschappij.'

Boges keek of hij bijna stikte.

'Ik weet het,' zei ik, 'welke steunpilaar van de maatschappij vermoordt mensen... Maar volgens Winter gelooft Sligo dat de Ormond-singulariteit hem beroemd zal maken. Als hij achter het geheim kan komen. Ik bleek niet erg nuttig voor hem te zijn als bron van informatie, maar nu weet ik tenminste dat er twéé bendes naar op jacht zijn. Winter heeft gezegd dat ze me wel wil helpen, maar volgens mij doet ze dat alleen omdat ik haar dan iets verschuldigd ben. Ze wil dat mensen bij haar in het krijt staan, zodat ze hun om een gunst kan vragen wanneer ze die nodig heeft.'

Boges zat rustig naar achteren geleund te luisteren terwijl ik verslag deed van de inbraak om Winters ketting terug te krijgen en hem vertelde over hoe ze in het park had beweerd de engel op de tekening van mijn vader te herkennen.

'Geloof je haar? Dat ze weet waar de engel is?' vroeg hij.

Ik herinnerde me hoe haar gezicht gestraald had; zoiets kun je volgens mij niet faken. 'Ja, daar ben ik van overtuigd. Ze leefde helemaal op toen ze die tekening zag,' zei ik. 'Ze heeft me beloofd dat ze me er mee naartoe neemt.'

Boges had het zich gemakkelijk gemaakt op de grond bij de muur. Zijn ronde gezicht stond weer ernstig. 'Maar ze heeft ook zo haar eigen plannen. Ze wil weten waarom de engel zo belangrijk is voor jou.'

'Ze heeft mijn leven gered, Boges. Ik ben bereid een risico te nemen als het om haar gaat. Al is en blijft het een eigenaardig meisje. Ze lijkt helemaal niet op de meisjes die wij kennen, maar dat vind ik wel cool aan haar. En trouwens, zoals we al eerder zeiden, de engel is belangrijk. Pap heeft hem twee keer getekend, dus is zij op dit moment onze beste kans op succes.'

'Is het een lekker ding?'

'Wat?'

'Winter? Het is een stuk, hè?'

'Ze kan er wel mee door,' zei ik verlegen. Normaal gesproken ben ik heel open tegen Boges als het over meisjes gaat, maar om de een of andere reden wilde ik dat aspect van Winter Frey voor mezelf houden.

Boges keek me even aan. 'Juist. Als zij één en één bij elkaar optelt, zitten we serieus in de problemen. Wees op je hoede, Cal. We willen niet nog een rivaal, nog een vijand die achter hetzelfde aan zit als wij. Zeker niet iemand die zich inlaat met die idioot van een Sligo. Je hebt al twee heel gevaarlijke vijanden.'

Op z'n minst, dacht ik bij mezelf.

'Probeer dat nummer nog eens,' zei Boges.

'Het toestel dat u probeert te bellen staat uit. Probeer het later nog eens,' klonk het aan de andere kant.

Boges pakte zijn laptop. 'Van deze computer weet ook niemand af. Iemand heeft hem weggegooid omdat hij het niet meer deed, maar er moest eigenlijk alleen maar een nieuwe accu in,' zei hij. 'Aan het moederbord mankeerde helemaal niets. Maar voor we onze hersens nog een keer gaan breken over die tekeningen, maken we een profiel voor je aan.'

'Ik heb al een profiel,' zei ik. 'Het hangt op elk politiebureau.'

'Ik vind dat je een blog moet starten,' zei hij. 'Het

publiek erbij betrekken. Dat zou best wat kunnen opleveren.'

'Een blog? Zoals via MySpace?'

'Jep. Een plek waar je jouw kant van het verhaal kunt vertellen en een eind kunt maken aan alle onzin die in de media over je is verschenen. Niemand hoeft je te zien of te weten waar je bent. Ze kunnen gewoon lezen wat je te vertellen hebt en zelf een oordeel vellen.'

'Geweldig idee. Je bent geniaal, Boges.'

'Ik weet het.'

'En ook zo bescheiden.'

Heel even was het net als vroeger, toen ik nog een gewone jongen was die geintjes zat te maken met zijn vriend. Maar het gevoel duurde niet lang. In elk geval had ik wel weer wat hoop en een beetje afleiding, en een kans om de wereld te laten weten dat ik onschuldig was.

13.04 uur

In de tijd die het kostte om een profiel te maken, was ik de wispelturige Winter vergeten, tot ik naar mijn telefoon keek en haar gezicht naar me op zag kijken. Ik strekte mijn been uit en schopte het toestel voorzichtig onder mijn rugzak.

'Ik kan niet veel langer blijven,' waarschuwde Boges. Hij keek op zijn horloge. 'Ik spijbel al de hele ochtend. Ik kan niet al te vaak aan komen zetten met zogenaamde briefjes van mijn moeder.'

Boges kon de handtekening van zijn moeder perfect namaken.

Ik had niet gedacht dat ik ooit jaloers zou zijn op iemand omdat hij naar school ging, maar ik zou er nu alles voor over hebben gehad als ik mijn rugzak kon pakken om met Boges mee te gaan. Met genoegen zou ik de 'Welkom terug'-samenkomst in de hal uitzitten, de mededelingen voor het nieuwe jaar en de nieuwjaarstoespraken aanhoren die me normaal gesproken stierlijk verveelden. Ik zou zelfs gráág naar biologie gaan, bij meneer Lloyd, en luisteren hoe hij ons met zijn saaie, monotone stem doorzaagde over de veiligheid in het laboratorium, terwijl ik achter in de klas Boges hielp met zijn eigen grensverleggende experimentjes. Of Engels van mevrouw Hartley, met haar eindeloze lofzangen aan Shakespeare en de poëzie.

'Ik geloof niet dat iemand mijn kant van het verhaal wil horen,' zei ik. 'De politie heeft haar oordeel al klaar en we weten allebei dat mam en oom Rafe denken dat ik een gevaarlijke gek ben.'

'Ze zijn in elk geval ongerust over je, dat is zeker,' zei Boges.

'En ik maak me zorgen over mam. Ik kan er niets aan doen, maar ik wou dat Rafe bij haar uit de buurt bleef.'

'Nu je vader er niet meer is, zoekt ze zijn steun,'

zei Boges. 'En hij ís de broer van je vader.'

'Dat hij er precies zo uitziet als mijn vader, betekent niets,' zei ik. 'Elke keer als hij in de buurt is, gaat alles verkeerd. Hij heeft de tekeningen gejat en erover gelogen. Nu heeft hij ervoor gezorgd dat ik in deze ellende zit. Waarom wil hij me uit de weg hebben?'

'Kom nou, daar heb je geen bewijs voor. Ik geloof niet dat het Rafe's schuld is dat je in deze ellende zit. Wat ik wel denk, is dat hij geen moeite doet om je eruit te halen. Maar denk je eens in: hij heeft het óók heel moeilijk gehad de laatste tijd. Hij is zijn tweelingbroer kwijt. Hij is bijna verdronken in Treachery Bay. En hij had net zo goed kunnen doodgaan, die dag in jullie huis. En hij heeft het aan zijn hart, toch? Zijn nichtje ligt in coma. Zijn neef is op de vlucht voor de politie. Zijn schoonzus staat op het punt een zenuwinzinking te krijgen en hij is de enige die de boel bij elkaar kan houden. Niemand anders kan dat doen. Hij heeft het ook niet gemakkelijk, Cal. Ik heb hem gezien bij jullie thuis en hij ziet er vreselijk slecht uit.'

'Misschien heb je wel gelijk. Hij doet alleen altijd zo afstandelijk. Dan vergeet je wel eens dat hij ook een hart heeft.'

'Ik kan het je niet kwalijk nemen. Maar goed,' zei Boges. Hij pakte zijn mobiel en duwde me naar de badkamer, waar meer licht was. 'Ik maak even een foto voor je profiel. Aan deze bouwval kun je niet zien waar je bent, maar misschien kun je toch beter je gezicht een beetje draaien, zodat het grootste deel in de schaduw is.'

Net als mijn huidige leven: in de schaduw.

Boges richtte de telefoon en maakte een foto. 'Zo moet het maar. Ik zal het allemaal uploaden.'

Web | Images | Video | News | Maps | More ⌄

Web Search

Hallo, Callum

Contact Cal
Berichten voor Cal

Man
15 jaar oud
Richmond

Ik heet Callum Ormond. Ik ben vijftien jaar en ging vroeger naar Richmond High School. Ik denk dat je wel iets over me hebt gehoord of gezien op de televisie en in de krant. (Waarschijnlijk komt het je de neusgaten uit, kun je nagaan hoe het voor mij is.) Vergeet alles wat je hebt gehoord en vergeet alles wat je hebt gelezen, want niets van wat ze over me zeggen is waar. Ik ben onschuldig.

Ik hou van mijn zusje Gabi en zou haar nooit kwaad kunnen doen. Ik zorg al mijn hele leven voor haar. Ook heb ik mijn oom Rafe niet aangevallen. Waarom zou ik hem kwaad willen doen? Vorige maand kwam ik ons huis binnen en trof ze daar allebei bewusteloos aan. Ik ben naar Gabi toe gerend en heb haar gereanimeerd tot ze weer zelf ademde. Ik had niet gedacht dat ik dat ooit in het echt zou hoeven te doen. Ik werd achtervolgd,

Inbox

131

en zodra ik de ambulance en de politie hoorde, moest ik vluchten.

Stel je eens voor dat je je kleine zusje of broertje bewusteloos op de grond ziet liggen. Het is het ergste wat ik ooit heb meegemaakt en ik heb de laatste tijd aardig wat meegemaakt. Nu ligt ze in coma en kan ik niet eens bij haar op bezoek om te zeggen dat het wel goed komt.

Sinds mijn vader vorig jaar stierf, zijn er allemaal nare dingen met me gebeurd. Mijn oom en ik zijn op oudejaarsavond bijna verdronken in Treachery Bay omdat iemand had geknoeid met ons visboot-je. Ons huis is overhoopgehaald en daarna werden Gabi en oom Rafe aangevallen. Mijn familie is ergens het doelwit van en ik weet niet waarom. Ook is de politie niet de enige die achter me aan zit, maar meer kan ik niet vertellen; dat is niet veilig voor mij of mijn familie.

Mijn leven is een nachtmerrie. Ik ben op de vlucht en iedereen denkt dat ik een misdadiger ben. Ik ben niét gevaarlijk en ik heb mijn oom en zusje géén kwaad gedaan. Geloof me alsjeblieft. Ik heb mensen nodig die aan mijn kant staan. Het enige wat ik wil, is mijn naam zuiveren en in leven blijven zodat ik voor ons gezin kan zorgen. Meer wil ik

niet. Ik smeek je, alsjeblieft, als je iets weet dat mij
kan helpen, neem dan langs deze weg contact
met me op voor het te laat is.

'Ik hoop dat mam dit leest,' zei ik.

'Daar zal ik wel voor zorgen,' zei Boges.

'Misschien gaat ze dan anders over me denken.'

Boges knikte, maar ik kon merken dat hij alleen
aardig probeerde te zijn.

'Uiteindelijk zal de politie het ook lezen,' zei hij,
'maar ze hebben er niets aan. We moeten wel heel
voorzichtig zijn waar en wanneer we er berichten
op zetten.' Boges pakte zijn spullen. 'Ik kom dit
weekend weer,' zei hij. 'O, dat was ik bijna vergeten.
Ik heb dit gekocht om de tekeningen in op te bergen.' Hij gaf me een sterke, harde plastic map met
aan één kant een sluiting. 'Bewaar ze hierin. Als ze
niet worden beschermd, vallen ze straks nog uit
elkaar.' Hij zweeg even en ik kon zien dat hem iets
dwarszat.

'Wat is er?' vroeg ik terwijl ik de map van hem
aanpakte.

'Cal,' zei hij en hij pakte zijn laptop. 'Je bent wel
voorzichtig, hè? Denk geen moment dat je veilig
bent, want dat is niet zo. Sorry dat ik het zeg,
maar ik voel er niet veel voor om je te moeten
noteren als het volgende slachtoffer.'

'Ik weet het. Als ik dood ben, kan ik niemand meer helpen.'

'Ik wil alles doen om te helpen. Dat weet je. Ik denk dat zo'n blog een goede zet is, maar onthou dat het nooit te laat is om terug te keren naar je familie. Ik wil de beste vriend die ik ooit heb gehad niet graag kwijt. Je moet het echt zelf weten hoor, Cal. Als je ermee door wilt gaan, vind ik het best. Als je ermee wilt stoppen, ook goed. Ik sta achter je. Maar stel jezelf de vraag... Weet je zeker dat je wilt doorzetten? Het geheim van je vader ontrafelen? Ook nu je de volle omvang van het gevaar kent?'

In het vage licht in het bouwvallige huis klonken Boges' woorden onheilspellend, angstaanjagend bijna. De volle omvang van het gevaar. Ik had mezelf een belofte gedaan, die keer dat ik terug was in ons huis en mijn vader op de familiefoto in de ogen keek. Op die belofte kwam ik niet terug. Trouwens, ik zat er al te diep in om nog terug te kunnen.

'Ik kan echt niet meer terug,' zei ik. 'Dat is de enige reden dat ik het volhou.'

'Dat je het volhoudt? Ik wist niet dat jij zo kickte op gevaar,' zei Boges, maar hij lachte er niet bij.

'Integendeel. Maar ik weet gewoon dat ik voor niemand iets kan betekenen als ik in de jeugdgevangenis zit.' Ik keek naar de bouwval waarin ik woonde. 'Het enige wat ik aan mijn kant heb, is de waarheid. Ik weet dat het gevaarlijk is, maar zolang er nog een klein kansje is dat ik erachter kan komen wat de Ormond-singulariteit is en mijn naam kan zuiveren, moet ik het doen. Ik moet achter de waarheid komen. Anders kan ik de rest van mijn leven op de vlucht blijven.'

7 februari

Nog 328 dagen te gaan...

16.03 uur

Ik had het opgegeven om te proberen Winter te bereiken. Ik was er inmiddels van overtuigd dat ze me een nepnummer had gegeven. Langzaam begon ik te vermoeden dat ze maar wat had gezegd toen ze beweerde de engel te kennen. Wie zou het zeggen? Alle verhalen die ze verteld had, konden wel verzonnen zijn.

Boges kwam, zoals beloofd. Hij klom door het gat in de vloer omhoog.

Ik had er de hele week naar uitgekeken om hem weer te zien, niet alleen omdat ik snakte naar gezelschap, maar ook omdat ik wilde weten of mijn blog goed de lucht in was gegaan.

'Hij staat erop,' verzekerde Boges me. 'En je hebt massa's hits.'

Dat deed me goed. Alsof ik toch niet helemaal van de wereld afgesneden was. 'Heeft er al iemand een bericht achtergelaten?'

'Nog niet, maar als er één schaap over de dam is... Mensen durven misschien niet goed. Maar als die eerste er eenmaal is, volgen er waarschijnlijk honderden. Ik hou je op de hoogte.' Boges haalde het kleine zwarte opschrijfboekje dat hij altijd bij

zich had tevoorschijn. Het stond vol met briljante
ideeën die hem midden in de nacht te binnen schoten, ingewikkelde tekeningen en onleesbare notities
en werd door een elastiekje bij elkaar gehouden.

'De Sociëteit van het Ormond-raadsel legt zich toe
op het uitvoeren van muziek uit de renaissance,'
las hij hardop voor. 'Ik had al eerder willen vertellen wat ik op internet heb gevonden over het
Ormond-raadsel. Veel stelt het niet voor. Wat ik net
zei, heb ik bijvoorbeeld van de website van een of
ander koor gehaald.'

Hij had gelijk. Het stelde niet veel voor.

'Op een andere website,' vervolgde Boges, 'wordt
uitgelegd dat wordt aangenomen dat het Ormond-
raadsel is geschreven door een beroemde compo-
nist uit de late renaissance, William Byrd. Maar ik
kon niets vinden over de woorden van het raadsel.
Ook niet over de muziek trouwens, of wat het ook
is dat we zoeken. Ik zoek wel verder zodra ik de
kans heb. Kunnen we nog een keer naar de tekeningen kijken?'

'Natuurlijk.' Ik haalde de map onder een paar losse vloerplanken vandaan, haalde de tekeningen
eruit en legde ze op de grond.

Boges wees op de tekening van de sfinx; hij tikte
met zijn vinger op de afbeelding van het liggende
mythische beest en de Romeinse kerel ervoor.

'Ik heb wat zitten lezen over de sfinx en over Egypte,' zei hij. 'Om erachter te komen waarom je vader die heeft getekend. Ik weet niet wat deze tekening precies betekent, maar ik heb wel iets interessants ontdekt.'

'O ja?' zei ik enthousiast. 'Zeg op.'

'De sfinx heeft te maken met een raadsel.'

'Een ráádsel?' Ik schoot geestdriftig overeind. 'Dat is zeker interessant. Het raadsel van de sfinx en het Ormond-raadsel.'

'Je vader dacht aan raadsels en ik wil wedden dat hij van het Ormond-raadsel wist. Wie weet, kende hij zelfs de woorden. Is er nog iemand anders in je familie die de tekst misschien kent? Of die er überhaupt iets van weet?'

'Misschien kan een van de oudere familieleden helpen. M'n oudoom of oudtante. Mijn plan om naar oudoom Bartolomeus te gaan is in de soep gelopen, maar hij is waarschijnlijk de beste gok. Ik moet naar hem toe.'

Ik had niet veel familie. Paps ouders waren lang geleden gestorven en de paar verre familieleden die mam had, woonden in het buitenland.

'Denk je dat m'n vader probeerde duidelijk te maken dat het geheim dat hij had ontdekt, de Ormond-singulariteit, te maken heeft met het oplossen van het Ormond-raadsel?'

'Ja, en daarom heb ik in het woordenboek opgezocht wat "raadsel" precies betekent.'

'Het is toch een soort mop? Een puzzeltje?'

'Luister en huiver, Cal,' zei Boges en hij las weer iets op uit zijn opschrijfboekje. 'Volgens het woordenboek is een raadsel een opzettelijk duister geformuleerde vraag of omschrijving waarmee men de hoorder of lezer op een dwaalspoor tracht te brengen aangaande de zaak die men bedoelt, in het bijzonder om zijn vernuft op de proef te stellen. Een enigma.'

'Een wat?'

'Ja, dat moest ik ook opzoeken. Een "enigma" is een mysterie, iets wat geheim is of verborgen,' zei Boges.

'Dat wisten we al!' riep ik geërgerd. 'Moet je kijken. Het zijn allemaal enigma's.'

'Wacht eens even. Je zou niets weten over een raadsel als je in het kantoor van je oom niet op een briefje het woord "Ormond-raadsel" had zien staan. Je vader kon niet weten dat je die informatie tot je beschikking zou hebben.' Boges begon zijn spullen bij elkaar te rapen. 'Ik denk dat de tekening van de sfinx bevestigt dat het Ormond-raadsel ook voor je vader heel belangrijk was.'

'Ja, en heel belangrijk voor die gestoorde vrouw en Sligo. Was hij maar iets duidelijker geweest. Zoals wat ik er allemaal mee moet.'

'Cal,' zei Boges en zijn ronde gezicht stond opeens heel ernstig. 'Moet je zien wie we allemaal tegenover ons hebben. Je vader wist dat hij heel voorzichtig moest zijn met de informatie die hij je gaf en dat was voordat zijn verstand hem in de steek liet. Je mag blij zijn dat het hem nog is gelukt de tekeningen te maken.' Boges trok het elastiek weer om zijn opschrijfboekje en liet dat in zijn zak glijden. 'En hij rekende er natuurlijk op dat ik je zou helpen om het allemaal uit te puzzelen. Ik bedoel, zeg nou zelf: wat zou je zonder mij moeten?'

'Ik weet niet wat ik het leukst vind aan jou, Boges: je hersens of je bescheidenheid.'

'Kan ik me voorstellen, jongen. Het valt niet mee om mij bij te houden. En je moet niet denken dat ik zit op te scheppen over mijn talent. Het is gewoon een feit.' Hij maakte er een geintje van, maar het was wel waar.

Op school was Boges de beste van de klas, elk

jaar weer, in zo'n beetje alle vakken. En dan nog alle elektronische spullen die hij maakte, helemaal zelf. Hij kon een apparaat bij het grofvuil vandaan halen en het binnen de kortste keren weer aan de praat krijgen. Hij had ooit een robotrugzak gebouwd met rupsbanden die achter hem aan door de school 'liep', de klas in. Hij had er al heel wat gemaakt en verkocht toen de leraren ze verboden omdat ze doorkregen dat hij ze alleen maar had ontworpen om met andere kinderen reusachtige botsingen te organiseren in de gangen.

'Maar je hoeft je geen zorgen te maken, hoor,' zei Boges, 'we komen er wel achter. Als ik thuiskom uit school ga ik uitzoeken wie die Romein is en ik zal ook nog een keer op internet op zoek gaan naar het Ormond-raadsel. Misschien levert "Ormond-engel" ook wel iets op.'

'Goed idee.'

Ik keek naar het strenge gezicht van de Romein, de manier waarop zijn haar over zijn voorhoofd viel, de dikke neus en de lege ogen. Hij zag eruit als zo'n marmeren beeld dat je wel eens in een museum ziet. Ik dacht dat ik de sfinx begreep, maar in combinatie met dat hoofd? Geen flauw idee.

Op straat klonken sirenes.

Ik sprong op en tuurde door een kier naast de deur. Geschrokken deinsde ik achteruit. 'Politie. Er staat politie in de straat.'

'O nee. Ik hoop niet dat ze me zijn gevolgd,' fluisterde Boges. 'Ik ben zo voorzichtig geweest. Altijd.' Hij keek door de kier, net als ik had gedaan. 'Er staat een politiebusje aan de overkant van de straat,' zei hij en hij draaide zich om. 'Als ze me naar buiten zien komen en iemand herkent me...'

'Snel, onder het huis,' zei ik. Ik greep de tekeningen en schoof ze terug in de map.

Boges sprong als eerste en ik kroop achter hem aan. We zochten ons voorzichtig een weg naar de achterkant van het huis, onder de veranda.

Achter de kleine open ruimte die voor de veranda lag, was de tuin meer een soort jungle; de klimplanten hadden bijna alle struiken en lage boompjes verstikt. We wrongen ons erdoorheen naar het oude hek achter in de tuin.

'Ik moet gaan,' zei Boges. 'Mijn moeder weet niet waar ik ben, ik heb beloofd dat ik met haar zou gaan winkelen. Je weet hoe haar Engels is.'

'Prima, maar kom alsjeblieft snel terug. Je weet dat ik dit niet zonder jou kan.'

'Ah, shit,' grapte Boges met een grote grijns op zijn ronde gezicht. Hij drukte me een briefje van twintig in de hand. 'En ik maar denken dat het je niets kon schelen...'

Ik gaf hem een por en kreeg er direct een terug, waarna hij over het hek klom en verdween.

Ik wachtte onder het huis en keek een uur lang naar de politie aan de overkant. Het leek erop dat er een echtelijke ruzie aan de gang was of zo, in elk geval niet iets wat te maken had met mij of mijn onderduikadres.

Toen ik eenmaal weer binnen was, deed ik mijn best me te concentreren op alle informatie die ik inmiddels over de tekeningen had. We hadden een verzameling dingen die gedragen konden worden, een blackjack en iets wat op het Ormond-raadsel leek te wijzen.

En dan was er natuurlijk nog een zekere persoon die beweerde meer te weten over de tekeningen van de engel.

Ik moest erachter komen wat zij wist. Ik moest het erop wagen.

9 februari

Nog 326 dagen te gaan...

Het autokerkhof

09.04 uur

Met de capuchon van mijn sweater diep over mijn ogen getrokken waagde ik het terug te gaan naar het autokerkhof van Sligo. Ik had er een paar nachten over liggen piekeren, maar ik had geen keus. Ik zou niet weten waar ik Winter anders kon vinden en ik moest haar spreken. De tijd begon te dringen.

Ik verstopte me achter de struiken langs de weg, recht tegenover de hoofdingang. En hoewel er allerlei mensen naar binnen en naar buiten gingen, onder wie die krachtpatser met zijn rode hemd die me in de tank had gegooid, zag ik geen enkel teken van haar.

Het was een veel groter bedrijf dan ik aanvankelijk dacht. Toen Sligo me gevangen had genomen en in de tank had gegooid, was het grootste deel door de duisternis aan het oog onttrokken geweest. Ik had alleen het kantoor en de wasserij gezien, en het verlichte terrein er vlak omheen. De rest was in een waas aan me voorbijgegaan. Verderop op het terrein stonden lange rijen auto's onder dekzeilen en nog een aantal kleinere schuren, waarschijnlijk vol auto-onderdelen en motorblokken.

Ik had ongeveer een uur staan kijken en wilde net weggaan, toen een plotselinge beweging mijn aandacht trok. Aan de linkerkant van het terrein, bij de weg, klom iemand over het hek. Ik schoot overeind. Iemand glipte het terrein van Sligo op! Misschien om reserveonderdelen te stelen. Nou, van mij had de dief niets te vrezen. Ik zou niet naar de baas hollen om hem te verraden. Naarmate de figuur dichterbij kwam, kon ik hem duidelijker onderscheiden. Het was een jongen met laarzen, een spijkerbroek en een donkerbruine sweater met capuchon. Hij sloop langs de rijen auto's alsof hij iets speciaals zocht. Toen hij een voor een de dekzeilen optilde, zag ik dat veel van de auto's flink aan puin gereden waren; sommige bumpers waren compleet aan gort en sturen of wielassen stonden in de raarste hoeken. Ik nam aan dat de jongen een onderdeel van een bepaald model zocht.

Het was een eigenaardig gevoel om nu eens de stille getuige te zijn in plaats van de jongen die probeerde z'n zaakjes op te knappen zonder gesnapt te worden. Hij sprong van een auto bij me in de buurt en toen hij opstond, zag ik tot mijn verbazing dat hij een zíj was.

Haar smalle figuur dook naar de grond en daar ging ze weer: ze kroop langs de rijen auto's, tilde telkens een dekzeil op, liet het weer vallen en ging door naar het volgende wrak.

Ik stond op om weg te gaan, maar waarschijnlijk merkte ze mijn beweging op, want ze draaide zich razendsnel om om te kijken wie haar in de gaten hield. Ik was echter sneller en dook achter mijn dekking. Tussen de struiken door gluurde ik in haar richting.

Het meisje keek zenuwachtig de straat door en ging pas weer verder met haar zoektocht toen ze niemand kon ontdekken.

Langzaam stond ik op en ik liep weg, volkomen verbijsterd.

Waarom sloop Winter Frey in vredesnaam zo stiekem rond op het autokerkhof van Sligo?

12 februari

Nog 323 dagen te gaan...

Onderduikadres
St. Johns Street 38

12.13 uur

Sinds ik haar op het autokerkhof had gezien, spookte Winter nog meer door mijn hoofd. Wat had ze daar zo stiekem uitgevoerd? Was ze soms haar eigen toko begonnen en stal ze onderdelen van Sligo om ze ergens anders te verkopen? Ik had haar eigenlijk willen roepen – ik was er tenslotte heen gegaan om haar te zoeken – maar ik wist dat ze er meteen vandoor zou zijn gegaan. En ze zou het zeker niet gewaardeerd hebben dat ik haar zo bespioneerd had.

Ik keek naar haar nummer in mijn telefoon, kwaad dat ik haar daar nooit op kon bereiken. Ik schoof de mobiel terug in mijn rugzak.

Het was al een paar dagen geleden dat ik Boges had gezien, en hem had ik ook al niet te pakken kunnen krijgen.

14.56 uur

'Boges,' zei ik nadat ik een snoekduik door de kamer had gemaakt om mijn telefoon te pakken te krijgen voor hij stopte met rinkelen.

'Ik weet het. Het spijt me. Ik kon een paar dagen niet bellen, maar nu heb ik nieuws, Cal.'

'Is er iets met mam of met Gabi?' vroeg ik. Mijn hart bonkte achter mijn ribbenkast.

'Met Gabi gaat het helaas nog steeds hetzelfde,' zei Boges. 'Met je moeder is alles goed, maar...'

'Maar wat?'

'Ze gaat bij Rafe wonen.'

De moed zonk me in de schoenen. Ik had geweten dat het er vroeg of laat van zou komen nu ons huis te huur stond, maar ik had gehoopt op een wonder. Een wonder dat al mams geldproblemen zou oplossen voor ze dit soort drastische besluiten moest nemen.

'Ik weet dat je het vreselijk vindt,' zei Boges, 'maar hé, ik heb je MySpace-pagina bekeken en het ziet er goed uit. Je hebt inmiddels een paar berichten.'

'Echt?'

'Ja, sommige mensen hebben iets over je te zeggen. Ja, natuurlijk zitten er ook altijd idioten tussen, maar er zijn er ook die aan jouw kant staan. In elk geval twee. Echt twee stukken: Natasha en Jasmine.'

Er kroop een glimlach over mijn gezicht. Leuke namen, dacht ik. 'Wat zeiden ze?'

'Dat ze zo wel konden zien dat je geen crimineel

bent en dat iedereen onschuldig is tot het tegendeel is bewezen,' zei hij.

Ik knikte in mezelf, blij dat twee meisjes die ik niet eens kende in me geloofden.

'En,' ging Boges verder, 'ze schrijven dat ze je een ongelooflijk stuk vinden en dat ze je graag willen beschermen tegen de echte boeven...'

'Wat?'

'Ik meen het. Dat schrijven ze. Niet te geloven wat een leven als crimineel voor je liefdesleven kan betekenen...' Boges rommelde wat met zijn telefoon. 'Als je hier was, zou je zien dat ik mijn hand omhoog hou voor een high five. Kom op, laat me hier niet voor gek zitten.'

We lagen dubbel van het lachen.

'Volgens mij is het ook goed voor mijn eigen populariteit,' zei Boges. 'Vanmorgen bij handenarbeid kwam Madeleine Baker naast me zitten.'

'Dat méén je niet!'

'Eerst zei ze dat ze de metalen spin die ik vorig jaar gemaakt heb zo mooi vond. Dat wil zeggen: tot ik dat programma ervoor had ontworpen en hij ontsnapte.'

'Ja, het hek uit en recht onder een langsrijdende bus.'

'Toen zei Maddy dat het vast moeilijk voor me geweest was om erachter te komen dat mijn beste vriend...' Boges aarzelde.

'Dat je beste vriend wat?'

'Een psychopaat was. Een gevaarlijke gek.'

Ik hoorde Boges ongemakkelijk heen en weer schuiven.

'Sorry, dat had ik niet willen vertellen. Ik heb trouwens gezegd dat ik daar helemaal geen last van heb. Dat je geen psychopaat bent en dat het alleen een kwestie van tijd is voor iedereen dat doorheeft.'

Ik vond het vreselijk om te horen, maar verbazingwekkend was het niet. Ik wist heel goed hoe de mensen over me dachten. Zelfs mijn eigen moeder dacht dat ik een psychopaat was. 'Dus toen ging ze ergens anders zitten?' vroeg ik.

'Nee, niet dus. We doen nu een fotoproject samen. Dus de rest van het jaar zitten we naast elkaar, of we het nu leuk vinden of niet.'

'Als je hier was, zou je zien dat ik mijn hand omhoog heb voor een high five. Kom op, laat me niet voor gek zitten.'

We schoten weer in de lach.

Ik wilde de berichten graag zelf zien. Misschien kon ik er nog wat aan toevoegen. Ik besloot om zodra het veilig was een internetcafé te bezoeken.

'Dat hele gedoe met de blog is geweldig, maar het heeft ook een regen van kritiek opgewekt,' zei Boges. 'Gisteravond zei de commissaris van politie op het journaal dat ze jouw pagina niet uit de lucht zouden halen. Ze hopen je op te sporen. Op informatie te stuiten die hen naar jou kan leiden.'

'Ik ga echt geen domme fouten maken en mezelf verraden. Maar kunnen ze me elektronisch opsporen?'

'Dat wordt heel moeilijk. Ik heb een heleboel trucs uitgehaald om dat te voorkomen.'

'Je bent een genie, Boges. Bedankt.' Ik hoorde in de verte honderden kinderen schreeuwen op het schoolplein. 'Ik denk dat ik het met Winter verder maar opgeef,' zei ik. 'Haar telefoon staat nog steeds uit.'

'Doe dat,' zei Boges. 'Ze hoort bij de bende van Sligo. Hoe weet je dat ze niet onder één hoedje spelen? Je weet wel, *good cop*, *bad cop*, zoals in politiefilms? De een behandelt je slecht en de ander doet heel vriendelijk en krijgt je aan het praten?'

'Hoe bedoel je?'

'Ik heb er nog eens over nagedacht. Dat hele gedoe met die tank kan ook in scène zijn gezet. Sligo doet net of hij je wil vermoorden en zij doet alsof ze je komt redden wanneer alles verloren lijkt. Uit dankbaarheid vertel je haar vervolgens al je geheimen. En in de tussentijd brieft zij alles door aan de grote baas.'

'Dat geloof ik echt niet, Boges. Nog een paar seconden en ik was dood geweest als zij de kraan niet had dichtgedraaid.'

'Snap je het dan niet?' vroeg Boges. 'Ze willen juist dat je dat denkt. Zo wint ze jouw vertrouwen. En zodra jij niet meer op je hoede bent, vertel je haar alles over de tekeningen, de brief van je vader, het lege juwelenkistje... en zij voegen dat bij alles wat ze al weten. Werkt tien keer beter dan je laten verzuipen in een olietank.'

Ik dacht er even over na. Boges zou gelijk kunnen hebben. En dan had ik hem nog niet eens verteld dat ik haar betrapt had terwijl ze op de sloop liep rond te snuffelen. 'Maar we weten niet wat ze al weten,' zei ik.

'Precies,' zei Boges. 'En daarom moet je extra voorzichtig zijn.'

Plotseling klonk er een geluid aan de voorkant van het huis. Ik liet me op de grond vallen. 'Ik moet ophangen,' fluisterde ik. 'Ik hoor wat buiten.'

Het geluid klonk nog eens. Een krakend, scheurend geluid. Iemand trok de planken die voor de voordeur zaten weg en probeerde binnen te komen!

Ik kroop zo laag mogelijk over de grond en gluurde door de kier. Ik vloekte in de telefoon. 'Boges, ik moet gaan.' Het kon me niet meer schelen hoeveel lawaai ik maakte. Ik greep de map met tekeningen, propte alles in mijn rugzak en duwde die door het gat in de vloer. Het geluid van versplinterend hout klonk door het hele huis.

Ik wierp snel een blik om me heen in de hoop dat

ik niks had vergeten wat me zou kunnen verraden, dook onder de vloer, draaide me om en trok het tapijt weer over het gat.

Hijgend kroop ik onder het huis door en zocht mijn weg naar de begroeiing waardoor Boges eerder die dag was ontsnapt.

Achter me klonk geschreeuw.

15.19 uur

Ik wrong me door de jungle van bladeren en takken, gooide mezelf over het hek in de tuin van de buren en rende zo hard ik kon verder.

Er klonk geschreeuw en geroep achter me, maar ik dook weg en zocht straat na straat slingerend mijn weg om zo ver mogelijk bij het huis vandaan te komen.

Verlaten rangeerterrein

15.52 uur

Pas aan de westkant van het stadscentrum, vlak bij het station, stopte ik met rennen. Het zweet droop van mijn lijf toen ik me door een hek wurmde, een verlaten terrein op. Er stonden oude gebouwen van de spoorwegen en verroeste wagons, met overal ertussen hoog opgeschoten gras.

Uitgeput viel ik op de grond en rolde onder een oude wagon.

16.04 uur

Het terrein zag eruit alsof het jaren niet was gebruikt. Ik keek rond of ik beveiligingscamera's zag, maar kon er geen ontdekken.

Er was hier trouwens ook niet veel wat tegen dieven beschermd moest worden, maar ik bleef toch maar liggen.

16.43 uur

Toen de kust veilig was, kroop ik tevoorschijn en onderzocht het terrein nauwkeuriger. Niet ver van mijn schuilplaats was een soort afwateringskanaal, een diepe goot van cement die langs de helling naar beneden liep. Ik sprong erin en volgde de goot tot ik bij de opening van een grote duiker kwam waardoor het regenwater ondergronds werd afgevoerd. Het leek nog het meest op een spoortunnel, maar dan drie keer zo klein. Er zaten tralies voor, maar de spijlen waren verbogen en ik kon er makkelijk door.

Verder naar binnen liep de tunnel omlaag, de duisternis in. Dit kon wel eens een goede plek zijn om me een tijdje te verschuilen, besloot ik. Ik rommelde in mijn rugzak en haalde mijn zaklantaarn tevoorschijn. Het licht bescheen muren die onder de graffiti zaten. Sommige tekeningen herkende ik uit de stad. Er waren er twee die ertussenuit sprongen:

Bij regen, geen afvoer

no psycho

Het had al eeuwen niet geregend, dus om die eerste waarschuwing hoefde ik me niet druk te maken, maar de tweede zat me niet lekker. Die had ik de laatste weken al vaker gezien en ik hoopte dat er inderdaad geen psychopaat daar ergens in het donker op me zat te loeren.

Ik liep door.

17.23 uur

Ik kon het licht bij de ingang van de buis al niet meer zien en was omgeven door duisternis. Toen ik de zaklantaarn op de muren om me heen richtte, zag ik al veel minder graffiti. Er waren duidelijk maar weinig mensen die zich zo ver de buis in waagden.

Ik kwam bij een kruising, waar de regenafvoer zich verbreedde en zich in een Y-vorm splitste. Twee buizen liepen verder het donker in. In het licht van de zaklantaarn zag ik net boven mijn hoofd twee diepe nissen, een aan elke kant. Waarschijnlijk waren ze bedoeld voor het opbergen van spullen van onderhoudslui. Ik liet mijn licht erin schijnen om ze goed te bekijken en besloot dat de nis aan de linkerkant er droger uitzag. Als ik daar boven zat en me tegen de achterwand aan drukte, zou niemand me kunnen zien. Daar kon ik wel kamperen. Als er mensen kwamen, zou ik ze horen – hun voetstappen zouden echoën door de buis – en kon ik lang voordat ze bij me waren, vluchten door een van de smallere rioolbuizen.

Ik gooide mijn rugzak eerst naar boven en zette de zaklantaarn toen zorgvuldig in de nis, op zo'n manier dat ik kon zien wat ik deed. Het was een lastige klim, maar ik vond genoeg houvast met mijn vingers en kon me optrekken. Dat ik vroeger met pap vaak was wezen klimmen, kwam me nu erg goed van pas.

Ik spreidde mijn slaapzak uit en zocht in mijn rugzak naar iets eetbaars. Ik trok een rol biscuitjes open en dacht aan de mensen op MySpace die om de een of andere reden in me geloofden.

En ik dacht aan Winter Frey en welk spelletje ze

eigenlijk speelde. Ik hoopte dat Boges zich in haar vergiste.

21.00 uur

Verkrampt en pijnlijk werd ik wakker.

Ik moest iets doen. Ik kon niet alleen maar van de ene naar de andere schuilplaats vluchten. Ik was bijna halverwege de tweede maand. Ik was gewaarschuwd dat ik 365 dagen in leven moest zien te blijven. Hoe ver was ik al? Mijn gedachten waren te warrig om zelfs zo'n eenvoudig sommetje te kunnen maken.

Waar het op neerkwam, was dat deze nachtmerrie niet vanzelf zou overgaan. Als Winter niet van plan was me te helpen, kon ik maar één plek bedenken waar ik informatie zou kunnen vinden. Het huis waar ik na de eerste ontvoering uit was ontsnapt.

Ik moest meer te weten zien te komen over mijn vijanden. Ik moest ophouden de prooi te zijn en zelf de jager worden.

22.20 uur

Ik haastte me langs donkere straten, op zoek naar bekende namen, gebouwen, huizen, iets wat ik herkende van mijn lange tocht naar huis nadat ik aan mijn eerste ontvoerders was ontkomen. Ik was vastbesloten om dat huis terug te vinden. En hoewel ik maar een deel van de voorkant had gezien, de tegels van de stoep en de binnenkant van de bezemkast, vertrouwde ik erop dat ik het zou herkennen als ik het weer zag.

De juiste straat vinden was jammer genoeg een heel ander verhaal.

22.52 uur

Een paar keer dacht ik dat ik iets zag wat me bekend voorkwam, maar telkens leidde het tot niets. Ik zocht een bepaalde kruising die ik meende te hebben gezien toen ik net was ontsnapt uit de bezemkast. Op één hoek stond een klein kerkje, op een andere een autowasstraat die dag en nacht open was en een groot hek van een schoolplein.

Ik had het gevoel dat ik warmer werd.

23.23 uur

Ik begon me net zorgen te maken over de lange tocht terug naar de tunnel wanneer ik niets zou vinden, toen ik mijn ogen tot spleetjes kneep om te zien of het gebouw daar verderop het kerkje was dat ik zocht.

Aan de rechterkant waren een autowasplaats en een schoolplein, leeg en spookachtig in het licht van de straatlantaarns. Ik haastte me erheen.

Dit was de kruising die ik zocht!

Ik ging voor de kerk op de rand van het trottoir staan en probeerde in gedachten terug te gaan naar die avond. Ik was toen zo bang en had zo veel adrenaline in mijn lijf dat het een wonder was dat ik me überhaupt iets herinnerde.

Ik herinnerde me een zandstenen stoep. Die had ik gezien toen ze me de auto uit sleurden en de zak van mijn hoofd was gegleden. En dus rende ik de straat waarlangs het kerkje stond in, op zoek naar een oprit met zo'n stoep. Ik haastte me langs de huizen en bekeek ze allemaal nauwkeurig, tot ik uiteindelijk achter het hek van een groot huis dat een eindje van de weg af stond, de stoep herkende. Ik sprong naar achteren toen een auto de straat in kwam en langs me heen reed.

Voorzichtig klom ik over het hek, sloop de oprit op en verstopte me achter een paar vuilniscontainers. Onder de carport stond een grote gezinsauto. Binnen was het aardedonker. Nergens brandde licht. Ik hoopte maar dat er niemand meer op was.

Ik keek om me heen op zoek naar andere herkenningstekens die aangaven dat dit het huis was waarin ik opgesloten had gezeten, maar zag alleen een paar kinderfietsjes tegen de gevel staan. Ik kroop verder en keek in de auto. Een beurse appel, zonnebrand, babydoekjes en een kinderzitje.

Iets zei me dat ik hier verkeerd zat.

13 februari

Nog 322 dagen te gaan...

Het was inmiddels na twaalven. Ik had mijn instinct gevolgd en was teruggelopen. Weer op straat hervatte ik mijn zoektocht naar de zandstenen stoep.

En jawel, honderd meter verder zag ik nog een zandstenen stoep en een groot, open hek. Ik kroop erheen en hurkte naast de bestelwagen van een loodgieter die bij de buren geparkeerd stond, zodat ik op mijn gemak beter kon kijken.

Er klonken gedempte stemmen en er was beweging. Ik deed mijn best om te bepalen waar het vandaan kwam.

Een portier sloeg dicht. Het was de donkerblauwe Mercedes!

Iemand rammelde met sleutels.

Ik hoorde hoge hakken op de tegels, gevolgd door zwaardere voetstappen.

Twee mensen, een vrouw met een gestippelde hoofddoek en een grote man die in de schaduw bleef, liepen van de auto naar de voordeur.

Vanuit mijn schuilplaats keek ik hoe ze naar binnen liepen. De lichten die aan sprongen, lieten zien waar ze zich in het huis bevonden.

Het huis was flink beveiligd: er waren metalen tralies voor de benedenramen en een extra veiligheidshek voor de voordeur. Ik was er aardig zeker van dat dit het goede huis was, maar hoe kwam ik hier ooit binnen?

00.19 uur

Naast het huis stond een hoge naaldboom die kort geleden was gesnoeid. De onderste takken waren bij de oprit afgezaagd en vormden bijna een natuurlijke ladder waarlangs ik zo naar boven kon klimmen.

00.22 uur

De takken schaafden langs mijn gezicht en handen en van alle kanten werd ik belaagd door muggen, maar ik kon nu perfect door een open raam op de eerste verdieping naar binnen kijken.

En daar zag ik het rood met zwarte tapijt waarop ik had gestaan toen ik door die gestoorde vrouw werd ondervraagd!

De deur van de kamer waarop ik uitkeek, ging open en er kwamen twee mensen naar binnen. De vrouw had haar hoofddoek afgedaan en haar felrode haar was hoog opgestoken in een ingewikkeld kapsel. Felrood! Hoe had ik dat geweten, terwijl ik haar nooit eerder had gezien? Tijdens mijn ontvoering en ondervraging had ik niet veel meer gezien dan de vloer en toch herinnerde ik me haar om de een of andere reden als de vrouw met het rode haar. Precies de vrouw naar wie ik door de takken heen zat te kijken.

Ze boog zich over een la en haalde er een lange, bruinige sigaret uit: een cigarillo. Rook vulde de kamer en kringelde naar buiten, het raam uit en mijn richting op. Ik hield mijn adem in.

Ze praatte tegen de man die tegelijk met haar uit de auto was gestapt en die nu aan de andere kant van het bureau stond. Het jasje van zijn pak spande om zijn dikke lijf. Hij zag eruit als een enorme boksbal met kleren aan. De roodharige had een stem om niet snel te vergeten: hard en uitgesproken, sterk en agressief. Ze gebaarde met haar handen en prikte met de cigarillo in de lucht alsof ze een belangrijk punt naar voren bracht. Ook hij leek veel te zeggen te hebben en ze waren beiden zeer geïnteresseerd in papieren die voor haar op het bureau lagen.

Aan de manier waarop ze het gesprek domineerde, wist ik dat deze vrouw me had ondervraagd op de avond dat ik uit Memorial Park was ontvoerd. Ik herinnerde me Sligo's reactie toen ik haar beschreef: hij had gespuugd en zijn hiel geboord in de plaats waar zijn speeksel was neergekomen. Hij wist heel goed wie ze was.

Ik haalde mijn telefoon tevoorschijn. Ik hoopte

maar dat de camera een groot zoombereik had. Gelukkig was de kamer goed verlicht en hoefde ik niet te flitsen. Snel maakte ik een zo scherp mogelijke foto van de vrouw. Hij was niet al te best, maar haar omtrekken en gezicht waren duidelijk te zien. Ze was een nogal opvallende figuur, dus ik hoopte dat ergens iemand haar wel zou herkennen.

Binnen drukte de vrouw de cigarillo uit en opende een grote glazen pot op het bureau, die gevuld was met zilveren kogeltjes. Ze gooide er een paar in haar mond en toen zag ik wat het waren: van die zilveren bolletjes waarmee Gabi altijd cakejes versierde. Daarna klapte ze de laptop die voor haar lag open. Het computerscherm gaf haar gezicht een blauwachtige gloed. Ik vroeg me opnieuw af of zij de vrouw was die me gebeld had met de bewering dat ze informatie had over mijn vader... en me er toen in had laten lopen. Was dit misschien Jennifer Smith?

Vanachter haar laptop gebaarde ze plotseling met dramatische armbewegingen dat de grote man erbij moest komen. Hij haastte zich naar haar toe en boog zich voorover om te zien wat op het scherm haar aandacht had getrokken. Ze keken elkaar een moment veelbetekenend aan en voor ik wist wat me overkwam, had de roodharige haar hoofd omgedraaid en staarde ze door het raam recht mijn kant op.

Ogenblikkelijk liet ik me op de grond vallen. Mijn beweging schakelde zeker een automatische lamp in, want de tuin was meteen verlicht als een voetbalveld. Ik rende de oprit af, het donker in. Ik stopte niet om te horen wat er achter me gebeurde; al mijn energie was erop gericht om weg te komen.

Ik rende de straat door, naar de kruising en toen terug langs dezelfde route als ik gekomen was.

Toen ik lang genoeg had gerend om me veilig te voelen, stopte ik om te zien of er iemand achter me aan kwam.

Niemand.

Ik spitste mijn oren om geluiden op te vangen van auto's, voetstappen...

Niets.

Niemand zat achter me aan. Ik rende weg voor niemand. Hadden ze me gezien? Ik wist zeker dat de vrouw me recht had aangekeken. Hadden ze buiten beveiligingscamera's hangen? Was ik totaal paranoïde? Was ik zonder reden op de vlucht geslagen?

Hoe dan ook: ik had het huis gevonden, foto's gemaakt van de vrouw en was er heelhuids vandaan gekomen.

14 februari

Nog 321 dagen te gaan...

Afwateringsbuis

22.10 uur

Ik was de hele dag in de afwateringsbuis blijven zitten. Boges kon pas over een dag of twee weer met me afspreken, dus liep ik heen en weer door tunnels, rommelde wat in mijn spullen, sliep, staarde naar het plafond... en praatte in mezelf.

Ik moest er nodig weer eens uit.

Centraal Station

23.29 uur

Op dit moment was ik gewoon een anonieme jongen die in de buurt van het Centraal Station rondhing. Niks ongewoons aan. Tenminste, dat probeerde ik mezelf wijs te maken.

Ik probeerde me kalm en koel en onopvallend te gedragen, maar het leek wel of er honderd paar ogen op me gericht waren.

Ik stopte bij een basketbalveldje waar een paar kinderen aan het spelen waren. Ik had altijd van basketbal gehouden, van elke sport eigenlijk wel, en wilde dat ik mezelf ertoe kon zetten naar ze toe te gaan en met ze mee te doen.

Plotseling gingen de haren in mijn nek recht overeind staan. Iemand keek naar me. Ik wist het zeker. Ik draaide me om, maar er stond niemand achter me. Ik keerde me weer om naar het basketbalveldje en op dat moment kreeg ik de schrik van mijn leven!

Aan de andere kant van het veld stond een jongen die door de afrastering heen naar me staarde. Maar dat was niet waar ik zo van schrok.

Vol ongeloof staarde ik terug.

Verbeeldde ik me dingen?

Hij keek net zo geschokt als ik, wat ook niet echt hielp.

Mijn hersenen probeerden het te begrijpen. Zag ik een of andere weerspiegeling van mezelf? Ik wreef in mijn ogen als een tekenfilmfiguurtje, maar toen ik weer keek, stond hij er nog.

Hij leek sprekend op mij. In elk geval op mij toen ik nog mezelf was. Mijn gezicht, mijn vorm, mijn ogen, mijn neus, mijn kaak, mijn wenkbrauwen. Míjn gezicht!

Mijn gezicht voordat ik geprobeerd had mezelf onherkenbaar te maken.

Ik keek opnieuw. Hij zag er nog steeds net zo uit als ik en staarde terug.

Ik kon me niet verroeren.

Tot ik mezelf onder controle kreeg en tegen hem

schreeuwde: 'Hé!' Ik begon om het veld heen te rennen om bij hem te komen.

Op hetzelfde moment begon ook hij te rennen, maar dan bij me vandaan. Hij zwaaide met zijn armen en benen of zijn leven ervan afhing. Het was een bizarre gewaarwording, alsof ik buiten mijn lichaam trad en naar mezelf keek, terwijl ik rende voor mijn leven.

'Hé, wacht!' riep ik hem na.

Hij keek niet op of om en rende door. Ik zette de achtervolging in en zag hoe hij hoeken maakte en wegdook om me af te schudden tussen de mensenmenigte, door nauwe steegjes en over voetpaden. Het waren precies de trucjes die ik sinds kort zelf zo goed beheerste.

Het lukte me hem te volgen, bijna helemaal tot aan de haven, maar daar raakte ik hem kwijt.

Het was hopeloos. Ik kon hem gewoon niet bijhouden. Mijn lichaam was totaal uitgeput. En hij was snel. Net zo snel als ik zelf altijd was geweest.

Ik stopte, boog dubbel in een poging op adem te komen en probeerde wanhopig te bedenken wat ik nou eigenlijk had gezien.

15 februari

Nog 320 dagen te gaan...

Internetcafé

23.11 uur

Ik ging helemaal achterin zitten en koos een computer uit waarvan het beeldscherm tegenover de achterwand stond, weg van nieuwsgierige blikken, al was er bijna niemand in het café.

Ik ging meteen naar de MySpace-pagina. De foto van mijn gezicht in de schaduw verscheen en ik moest weer denken aan de jongen die ik gisteren bij het basketbalveldje had gezien. Ik werd gek als ik probeerde te bedenken waarom er een jongen door de stad rende die er precies zo uitzag als ik. Waarschijnlijk stelde hij zichzelf dezelfde vraag.

Maar ik had nu geen tijd om me met dat mysterie bezig te houden, ik had andere belangrijke dingen aan mijn hoofd.

Er waren een hoop berichten achtergelaten. Sommige heel akelig: volslagen vreemden die me voor van alles uitmaakten. Andere berichten waren van mensen die zeiden dat ze lid wilden worden van mijn bende.

Alsof ik lid was van een of andere straatbende.

Die berichten wiste ik.

Hallo, Callum

| Schrijf op Callum's Muur | Berichten voor Cal |

14.02

T@sh&J@s :

Je bent cool! We geloven in jou ☺

en **Fijne Valentijnsdag!!**

Luv Jasmine en Natasha xo

Contact Cal

Berichten voor Cal

Was het gisteren Valentijnsdag? Het was mij niet opgevallen. Maar het betekende wel dat ik de eerste helft van de maand overleefd had.

'Zit je op de site van die psycho-tiener te kijken?'

Geschrokken draaide ik me om naar de stem die mijn gedachten had onderbroken. Het was de eigenaar van de zaak, een lange, magere man van halverwege de veertig. Hij verveelde zich zeker nu het zo stil was. Ik kon hem geen ongelijk geven, maar ik had geen zin in een kletspraatje. Snel klikte ik de pagina weg.

'Hé, dat stond ik net te lezen,' zei hij.

'O sorry, ik moet weg,' mompelde ik.

'Hij durft wel, om zo'n pagina te openen,' ging de man verder. 'Maar ik heb ergens gelezen dat psychopaten alles doen om aandacht te krijgen. Tjongejonge, het moet wel een soort monster zijn. Stel je voor dat je eigen broer je zoiets aandoet.' Hij schudde met zijn hoofd en knipte toen met zijn vingers een dode vlieg van het toetsenbord naast het mijne. 'Geen wonder dat zijn moeder in de war is geraakt.' Hij keek me aan en fronste zijn wenkbrauwen. 'Jij komt hier vaker, toch?'

'Ja, je hebt me vast wel eerder gezien,' loog ik. 'Ik zit nog steeds te wachten tot mijn vader mijn laptop heeft gemaakt.' Ik keek weer naar het scherm en bukte me om mijn rugzak te pakken. Ik was hier nog nooit geweest. Ik moest maken dat ik wegkwam voordat hij zich realiseerde waarom ik hem zo bekend voorkwam.

'Jullie hebben het tegenwoordig veel te gemakkelijk. Gadgets, mobieltjes, chatrooms, allerlei informatie die je binnen een paar seconden kunt downloaden, een mooie auto onder je kont zodra je kunt rijden. Jullie hoeven nergens meer voor te werken.' Hij keek naar zijn lege zaak en de zwarte schermen. 'Zo ging het bij mij niet. Veel te gemakkelijk. Jullie hebben geen idee hoe zwaar het leven eigenlijk is.'

Ga eens lekker een tijdje in een afwateringsbuis wonen, dacht ik. 'Je zult wel gelijk hebben,' zei ik in plaats daarvan. En daarna stond ik op en vertrok.

16 februari

Nog 319 dagen te gaan...

Hamburgertent

12.05 uur

Boges en ik hadden afgesproken in een drukke, lawaaierige snackbar. We hadden bedacht dat dat veiliger was dan in de tunnel, want als we daar met z'n tweeën werden gesnapt, zou dat ongetwijfeld een boel vragen, en dus problemen opleveren.

Daar kwam bij dat ik het al erg genoeg gevonden had om Boges naar mijn vorige schuilplaats te laten komen. Ik voelde er niet veel voor om hem te laten zien waar ik tegenwoordig moest leven.

Ik zag de man van het internetcafé van gisteren, maar ik draaide mijn hoofd weg toen hij langs me heen liep.

Boges verscheen, trok de stoel tegenover me naar achteren en zette zijn blad op de tafel. 'En, wat heb jij te vertellen?' vroeg hij terwijl hij een paar hamburgers, patat en drinken op tafel zette.

'Ik zag een jongen die er precies zo uitziet als ik,' zei ik snel. Ik wachtte tot Boges was gaan zitten en leunde toen naar voren. 'En dan bedoel ik precíes zoals ik. Hij staarde naar me door de afrastering van het basketbalveldje bij het Centraal Station en toen ik hem riep, ging hij ervandoor.'

'Dat kan ik hem niet kwalijk nemen,' zei Boges. 'Als ik jou niet zou kennen, zou ik er ook vandoor gaan. Je ziet er nogal woest uit, Cal.'

Ik keek over Boges' hoofd en schouders naar de ruit achter hem en zag mijn eigen weerspiegeling. Ik moest toegeven dat ik eruitzag als iemand voor wie normale mensen op de loop gaan. 'Maar Boges,' hield ik aan, 'ik zeg je: hij was mijn evenbeeld. Precies het-zelf-de,' zei ik langzaam om mijn woorden kracht bij te zetten. 'En hij staarde me aan alsof hij me kende, net of hij hetzelfde dacht als ik: waarom staat daar een jongen die als twee druppels water op mij lijkt?'

'Bedoel je dat hij een neptatoeage in zijn nek had, een stel piercings en haar als een rattennest?'

'Nee.'

'Dus hij zag er niet precies zo uit als jij.'

'Hij zag er precies zo uit als ik vroeger,' zei ik ongeduldig. 'Het was idioot. Ik schrok me te pletter. En hij ook.'

Boges nam een enorme hap van zijn hamburger. 'Je weet toch dat ze zeggen dat iedereen een dubbelganger heeft? En het is niet best als je die tegen het lijf loopt...'

'Hoe bedoel je?'

'Nou ja, laten we het erop houden dat het geen goed teken is. Misschien is het gewoon een van de

mysteries van de stad. Ik ben er ook met een bezig:
het GMO.'

'Het wat?'

'Het GMO,' herhaalde hij. Hij sprak het uit als
'gémo'. 'Het Gevaarlijke Mysterie van de Ormonds.'
Boges grinnikte. 'Ik heb nog meer ontdekt over het
raadsel van de sfinx. Dat raadsel hoort bij een
andere sfinx dan die je vader heeft getekend.'

De enige die ik kende, was de sfinx die hij had
getekend: de grote sfinx van Gizeh in Egypte.

'Die andere sfinx is heel anders,' ging Boges verder. 'Zij was een of andere gevaarlijke vrouw die
half leeuwin was, maar ook vleugels had. Ze was
heel arrogant: het soort sfinx dat aan voorbijgan-
gers vroeg een raadsel op te lossen en als ze het
niet goed hadden, doodde ze hen. Ze wurgde ze en
at ze op.'

'Oké, en die Romein? Wat heeft die er volgens jou
mee te maken?'

Boges haalde zijn schouders op. 'Daar ben ik nog
mee bezig. Bij geschiedenis heb ik aan meneer
Addicot gevraagd of de Romeinen ook iets te maken
hadden met sfinxen. Het schijnt dat Julius Caesar
rond 48 voor Christus van alles in Egypte te doen
had.'

'Nu heb je het toch over de Egyptische sfinx en
niet over die katvrouw?'

'Klopt. We mogen niet vergeten dat de tekeningen

iets anders betekenen dan wat ze precies afbeel-
den. We moeten leren denken zoals je vader dacht,
diagonaal als het ware. Schuin denken.' Boges zette
zijn woorden kracht bij met zijn handen. 'Dit is volgens mij wat hij ons probeerde te vertellen: dat het
grote geheim dat hij had ontdekt iets te maken
heeft met geschiedenis, met een raadsel van levens-
belang en met iemand die macht heeft: een koning
of een heerser, iemand zoals Julius Caesar.' Hij
leunde naar achteren. 'En dan is er natuurlijk nog
iets met een sieraad, iets wat je kunt dragen, dat
misschien gestolen is uit zijn koffer. En iets met
blackjack... of eenentwintig. Echt veel is het niet,
maar meer kan ik er op dit moment niet van
maken.'

Ik gooide een patatje naar zijn hoofd. 'Iemand
met macht. Dat beperkt onze keuze lekker, zeg. Er
zijn maar een paar triljoen koningen en heersers
geweest in de geschiedenis.'

Boges pakte het patatje van zijn shirt en stak het
in zijn mond. 'Misschien betekent het alleen maar
dat je vader wil benadrukken hoe belangrijk het is
om de waarheid over de Ormond-singulariteit te
ontdekken.'

'Dat snap ik,' zei ik. Ik dacht aan die rare kerel
die zijn waarschuwing had geschreeuwd op die
hete decembermiddag waarop alles was begonnen.
Ik zuchtte. Mijn vader was er aardig in geslaagd

om het moeilijk te maken. Die M in GMO was er niet voor niets.

'Het enige wat we in dit stadium kunnen doen,' zei Boges, 'is die Eric van je vaders werk bellen en kijken of hij er iets van mee heeft gekregen toen hij in Ierland was. Zonder te veel los te laten natuurlijk.'

Ik nam nog een hap van mijn snel kleiner wordende hamburger. 'Ik doe het zodra ik kan. Ben je nog verder gekomen met de woorden van het Ormond-raadsel?'

'Nee, nog geen succes.'

Het was allemaal zo vaag; ik kon me er niet echt druk over maken. Bovendien lukte het me niet om mijn dubbelganger uit mijn hoofd te krijgen. Het verbaasde me niets dat het volgens Boges een slecht teken was.

'Verder nog iets leuks gebeurd?' vroeg ik. 'Op school? Nog valentijnskaartjes van Maddy?'

'Nee.' Boges schoot in de lach. 'Misschien volgend jaar... Je weet maar nooit. Alle jongens op school vragen zich af waar je bent en wat er met je is gebeurd. Ze zeuren de hele tijd aan mijn hoofd.'

Het was een raar idee dat iedereen het over mij had.

'Meneer Addicot zat me ook al uit te horen over jou,' zei Boges. 'Alsof hij erachter wilde komen of ik wist waar je was. Ik heb net gedaan of ik achterlijk was.' Boges grinnikte. 'Geloof me, man, het was nog verdraaid moeilijk om net te doen of ik achterlijk was. Heel moeilijk. Vooral nu ik mijn hersens heb laten kraken om in aanmerking te komen voor een beurs voor het robotlaboratorium aan de universiteit van Pennsylvania.'

'Pennsylvania in Amerika?'

'Jazeker. Hun onderzoekslaboratorium heeft miljoenen aan subsidies gekregen voor het ontwikkelen van een robotkakkerlak.'

Ik schopte hem onder de tafel. 'Waren de kakkerlakken in mijn afbraakpand niet goed genoeg voor je?'

'Hé!' Hij schopte me terug. Boges was eindelijk klaar met zijn hamburger en wierp een blik op de restjes van die van mij.

'Afblijven,' beval ik hem. Ik pakte mijn mobiele telefoon en zocht de foto van de roodharige vrouw die ik vanuit de boom had gemaakt. 'Zij heeft me die avond bij Memorial Park van de straat geplukt,' zei ik. 'Ik heb het huis gevonden waar ze me heen brachten. We moeten zien uit te vinden wie ze is.'

Boges griste met een verbaasd gezicht de telefoon uit mijn hand. 'Hoe heb je die genomen?'

'Door een open raam. Ik zat in een boom. Ik heb geprobeerd zo ver mogelijk in te zoomen, maar goed, de camera in dat mobieltje is maar zozo. Trouwens,' vroeg ik ongeduldig, 'wie is het? Ken je haar?'

'Dit mens was gisteravond op televisie, ik weet het zeker.'

'Maar wie is het dan?' vroeg ik. Ik hoopte dat ik erachter zou komen hoe het kwam dat de vrouw me vanaf de erste keer dat ik haar zag al zo bekend voorkwam.

'Jij zit in een boom en maakt door het raam een foto van deze vrouw terwijl ik op hetzelfde moment op tv naar haar zit te kijken. Man, dat is echt bizar.'

Tv? Boges begon me nu te ergeren met zijn getreuzel en dat wilde ik hem net gaan vertellen, toen hij eindelijk zei: 'Deze vrouw is niemand minder dan Oriana de la Force, "de belangrijkste strafrechtadvocaat van de stad, met haar vlammend rode haar" zoals de verslaggever van het journaal haar omschreef.'

Een strafrechtadvocaat?

'En dít is de vrouw die jou heeft ontvoerd?'

'Weet jij zeker dat zij het is?'

Hij trok een gezicht naar me. 'Ik weet voor negenennegentig procent zeker dat het dezelfde vrouw is. Ik keek gisteravond naar een of andere nieuwsshow en de verslaggever zei dat Oriana, deze vrouw dus,' hij hield haar foto voor mijn gezicht, 'erom bekendstaat dat ze de moeilijkste en gevaarlijkste cliënten aanneemt.'

Daarvan kende ik haar en haar uitgesproken stem dus; ik had haar waarschijnlijk zelf wel eens op tv gezien. 'Ze is zelf moeilijk en gevaarlijk,' zei ik half lachend en ik dacht aan hoe ze me geduwd en geslagen had en tegen me geschreeuwd had op de avond van de ontvoering.

'Nou, ik zag haar gisteren dus, bij een of ander actualiteitenprogramma,' vervolgde Boges. 'Niet dat het uitmaakt, want ik heb wel vaker over haar gehoord, Cal. Iedereen met een beetje interesse in de wereld, of tenminste de stad, kent haar.'

Het was waar dat ik me nooit zo verdiept had in het nieuws, al had mijn huidige levenssituatie dat wel veranderd. Daar had het feit dat ik zelf in het nieuws was en zelfs de krantenkoppen haalde, wel voor gezorgd. 'Maar waarom zou een belangrijke advocaat als zij zich bezighouden met een ontvoering?' vroeg ik.

'Als je een misdaad wilt plegen, is het ongetwijfeld een groot voordeel als je zelf advocaat bent. Een advocaat kent alle ins en outs van de wet en alle valkuilen. Oriana weet natuurlijk beter dan geen ander hoe ze die moet omzeilen. Dus óf ze zag je foto in de krant en wilde graag zo'n leuke tiener als jij adopteren...'

Ik keek hem kwaad aan.

'Of,' ging hij verder, 'zijzelf, of een cliënt van haar, is op zoek naar het GMO.'

Oriana de la Force had heel duidelijk gemaakt dat ze iets wist over het fortuin waar mijn vader het in zijn brief over had gehad. Veel te veel mensen wisten ervan. Had hij bij zijn lezing op de conferentie te veel onthuld? Het gevaarlijke mysterie van de Ormonds... Hoe moest ik het in vredesnaam ooit opnemen tegen een briljante advocaat als Oriana? Een advocaat die er geen moeite mee had om een kind van een klif af te laten duwen? En hoe kon ik in leven blijven als een crimineel als Sligo, met al zijn geld en met zijn ondergrondse netwerk, me dood wilde hebben? Ik was maar een gewone jongen. Nou ja, misschien niet meer zo heel gewoon, maar wat kon ik tegen die mensen beginnen? Gelukkig vond in ieder geval Oriana het beter om me in leven te laten. Maar hoe lang nog?

'Weet je,' zei Boges. 'Ik heb nog nooit gehoord dat iemand zo veel mensen tegelijk achter zich aan had. De politie, de beruchte koning van de onderwereld, een belangrijke advocaat. En ik weet dat je het moeilijk vindt om te horen, maar je eigen familie denkt dat je een soort monster bent. Wat een zooitje.'

Ik had net de tijd gecheckt op mijn mobiel en keek weer op, toen ik zag dat Boges met wijdopen ogen naar iets staarde. 'Niet bewegen,' siste hij. 'En draai je absoluut niet om.' Zonder zijn lippen te bewegen mompelde Boges: 'Je oom en een of andere knakker zijn aan de tafel achter je gaan zitten. Wat je ook doet, draai je niet om.'

Rafe?! Paniekerig probeerde ik te bedenken wat ik moest doen. Als Rafe me zag, was ik er geweest. Al mijn instincten riepen: rennen! Ik dook in elkaar, probeerde te krimpen.

Boges was ook ineengedoken en had een hand tegen zijn gezicht gelegd, alsof hij diep zat na te denken. Als Rafe hém herkende, was ik de volgende. Ik gleed onderuit op mijn stoel.

De twee mannen achter me waren in een heftig gesprek verwikkeld.

'Ik heb er lang over nagedacht,' hoorde ik de stem van mijn oom achter me, bijna fluisterend. 'Het zal haar een gevoel van zekerheid geven dat ze nooit krijgt zolang het huis op mijn naam staat.'

'Heb je er wel aan gedacht wat het allemaal betekent?' vroeg de andere man. 'Hoe je je eigen belangen veiligstelt?'

'Ik denk aan de belangen van Win.'

De belangen van Win? Rafe had het over mijn moeder!

'Er zou een enorme last van haar schouders vallen als ze wist dat het huis op haar naam stond. Haar dochter ligt op de intensive care en haar zoon... nou ja, laten we over hem maar ophouden. Ze is er vreselijk aan toe. Ik wil alles doen om haar te helpen.'

'Maar het huis op haar naam zetten,' protesteerde de andere man, 'is wel erg genereus. Je vergeet je eigen belang. Je eigen veiligheid.'

'Hoor eens, ik verwacht niet dat je het begrijpt. Ze is de vrouw van mijn broer, Toms vrouw, en het is haar gezin. Ze zijn alles wat ik heb, het enige waar ik om geef. Ik moet het gewoon doen.'

'Zo te horen ben je vastbesloten, Rafe. Oké. Kom morgen naar mijn kantoor, dan maak ik het papierwerk in orde.'

'Ik weet dat Tom hetzelfde voor mij gedaan zou hebben. Als het andersom was geweest.' Hij zweeg even. 'Deze koffie is niet te drinken,' voegde hij eraan toe.

Even later hoorde ik stoelpoten over de grond schrapen. Ze stonden op en vertrokken.

Ik blies opgelucht mijn adem uit. Tijdens het gesprek had ik hem ingehouden. Mijn gedachten tolden rond. Rafe wilde zijn grote huis op mams naam zetten? Ik voelde een vreemde mengeling van dankbaarheid en schuldgevoel. 'Dat scheelde niet veel. Heb je het gehoord?' vroeg ik aan Boges toen ik weer kon praten.

Hij knikte. 'Zie je wel. Je hebt veel te streng over hem geoordeeld, Cal. Hij heeft het hart op de goeie plaats. Hij heeft alleen een nogal vreemde manier om dat te laten zien.'

'Je had gelijk,' zei ik, bijna verdoofd van de schok.

Boges zat tegenover me op zijn hoofd te krabben alsof hij alle losse stukjes aan elkaar probeerde te

plakken. 'Waarom denk je dat hij een pistool in zijn
nachtkastje had liggen?' vroeg hij ten slotte. 'Stel
dat hij weet van die criminelen die achter jou aan
zitten. Stel dat hij al heeft ontdekt wat je vader op
het spoor was? Dat verklaart de manier waarop hij
de tekeningen onderschepte. En waarom hij erover
heeft gelogen. Om jou te beschermen. En je moeder.'
Hij keek me aan en wachtte tot ik iets zou zeggen.

'Ik denk,' vervolgde Boges toen, 'dat hij heeft
geprobeerd het zaakje bij elkaar te houden, dat hij
alles zelf wilde opknappen.'

Net als ik, dacht ik.

Afwateringsbuis

16.46 uur

Er was niemand te bekennen toen ik in de buurt
van het spoorwegterrein door het hek glipte en
mijn weg zocht naar de duiker. Alles was rustig en
stil, op de krekels na, die stopten met tsjirpen toen
ik door het hoge gras langs ze heen liep en pas
weer begonnen toen ik voorbij was.

Mijn gedachten tolden nog van de ontmoeting met
Rafe. Mijn buik deed pijn van het schuldgevoel.

Ik haastte me door de tunnelbuis naar binnen. Ik
zou hier nog een paar nachten slapen, had ik
bedacht, en dan teruggaan naar St. Johns Street
om te kijken of het weer veilig was.

18 februari

Nog 317 dagen te gaan...

10.32 uur

Ik zat in de nis in de afwateringsbuis. Ik had de tekeningen om me heen uitgespreid en staarde ernaar bij het licht van mijn zaklantaarn. Ik probeerde te bedenken wat de betekenis was van de andere sfinx, die half vrouw, half leeuwin was. Probeerde mijn vader me te waarschuwen voor de gevaarlijke vrouw over wie hij in de brief had geschreven? Die beestachtige Oriana de la Force, die op zoek was naar antwoorden?

De geluiden van de stad echoden door de tunnel en in gedachten beleefde ik opnieuw het moment waarop ik me omdraaide en mijn dubbelganger ontdekte. Had hij in mij iets gezien wat hem beangstigde? Misschien wist hij ook dat het zien van een dubbelganger een slecht voorteken is.

19 februari

Nog 316 dagen te gaan...

Kendall Cove

08.07 uur

Ik waagde te gaan zwemmen bij een rotspunt niet
ver van Dolphin Point, een plaats waar zelden mensen komen vanwege de sterke stroming die daar
soms staat. Toen ik net in het water gedoken was,
was het aardig rustig. Het voelde heerlijk verfris-
send om onder water en vrij te zijn, maar ik merkte ook dat de oceaan met de minuut ruwer werd.
Het was een snikhete dag en toen ik op mijn rug
dreef en opkeek naar de hemel, zag ik in het zuid-
westen donderwolken ontstaan. Grote, grijze bloem-
kolen met een onheilspellende platte bovenkant.
Tijd om te gaan.

Ik klom op de rotsen en haastte me terug naar
mijn rugzak, die veilig in een soort grot lag, een
flink stuk boven de waterlijn.

Ik rende zo snel als ik kon, want ik wist dat ik
terug in de buis moest zijn om mijn spullen te
halen voor het begon te hozen.

Net toen de eerste dikke druppels neerkwamen op
het hete zwarte asfalt van de weg, kwam ik bij de
tunnel. De weg siste en stoom rees spookachtig

omhoog. Het zou zo'n storm worden die binnen een half uur dertig millimeter water over de stad uitgoot.

Afwateringsbuis

10.53 uur

Ik klom naar boven de nis in en pakte de plastic map met paps tekeningen. Ik propte mijn slaapzak in mijn rugzak en vroeg me af hoe ik de tekeningen het beste kon vervoeren. Ik bedacht net dat ik de map misschien het veiligste aan de buitenkant van de rugzak kon vastmaken met een spinbinder toen ik stemmen in de tunnel hoorde.

Ik greep mijn zaklantaarn en sprong de nis uit, mijn rugzak en de tekeningen in de ene en de zaklamp in de andere hand.

De stemmen werden luider. Ze klonken ruw en hadden een gemeen scherp randje, wat niet veel goeds voorspelde. Vooral één jongen had een akelige lach. Ik aarzelde en overwoog of ik beter door de hoofdbuis kon lopen en hun tegemoet gaan, of dat ik ze liever zou ontlopen door een van de smallere buizen te kiezen.

Het was te laat. Er verschenen drie jongens op de plek waar de hoofdpijp zich splitste in de twee kleinere buizen. Ze keken verbaasd toen ze me zagen. Maar die verbazing sloeg snel om in agressie.

'Wat moet jij hier?' vroeg de leider, een lange jongen met strak achterovergekamd zwart haar, een litteken door zijn linkerwenkbrauw en een spottende trek om zijn smalle lippen.

'Ja, wij zijn de baas hier. Wie denk je wel dat je bent?' echoden de twee aan weerszijden van de gladde aanvoerder. Volgens mij waren ratten meestal de baas in het riool, maar het leek me verstandiger om dat niet hardop te zeggen.

De twee anderen waren kleiner dan de leider. De kleinste, een stevige jongen, had legerkleding aan en de ander had zijn hoofd kaalgeschoren en droeg een superstrakke spijkerbroek met een gestreept hemd, als een soort stadspiraat. Zo stonden ze me woest aan te staren, terwijl ik koortsachtig probeerde te bedenken hoe ik me hieruit moest redden.

Ik kende het scenario maar al te goed. Ik had het op het schoolplein en op straat vaak genoeg zien gebeuren. Een stelletje jongens dat uit is op een potje vechten. Een gevecht dat ze niet kunnen verliezen: drie tegen een.

'Wat zit daarin?' wilde de jongen met de spottende blik weten en hij deed een uitval naar mijn rugzak.

Ik sprong snel naar achteren, buiten zijn bereik.

'En in die map? Laat 'ns kijken.'

Ook dat spelletje kende ik. Als ik ze niet gaf wat ze wilden, zouden ze me bespringen en pakten ze het evengoed. Als ik ze wel gaf wat ze wilden, besprongen ze me ook. Met treiterkoppen valt niet te praten, had pap ooit tegen me gezegd.

'Hier geven!' blafte de leider.

'Geen sprake van.' Ik deed een stap naar achteren om nog meer afstand tussen hen en mij te creëren. Ik had plek nodig om te manoeuvreren.

'Ik zou het je wel willen aanraden,' zei de jongen met het geschoren hoofd en hij deed een stap in mijn richting.

'Kom maar halen dan,' zei ik om tijd te winnen. Ik zocht nog steeds wanhopig naar een strategie. Ik moest eerst hun leider uitschakelen. Als ik hem snel op de grond kon krijgen, dacht ik niet dat ik nog veel moeite zou hebben met de andere twee. Ik hoorde paps stem in mijn hoofd: let op hun handen, dan zie je de klappen aankomen.

'Kom dan,' daagde ik hem uit. 'Als je het zo graag wilt hebben, kom je het maar halen.' Ik staarde de leider strak aan en probeerde vanuit mijn ooghoeken zijn handen in de gaten te houden. Ik voelde me niet half zo stoer als ik me gedroeg, maar ik was dus echt niet van plan mijn rugzak aan die losers te geven.

Het drietal leek verbaasd over mijn houding. Het gezicht en de nek van de leider werden rood en hij balde zijn vuisten. Ik zette me schrap en de adrenaline schoot door mijn spieren.

Hij wierp zich op me en voor hij wist wat hem overkwam, was ik in elkaar gedoken en dreunde ik mijn hoofd als een stormram in zijn buik. Ik hoorde hem grommen toen hij achterover werd geworpen en hard op de grond terechtkwam.

Ik hield niet in en ontweek zijn zwaaiende armen en benen terwijl hij overeind krabbelde en op adem probeerde te komen. Maar ik was al weg en liet hen staan terwijl ik naar de splitsing sprintte.

Ik dook de linker buis in.

Het geschreeuw van de leider en de dreigementen van de twee anderen achtervolgden me door de tunnel.

Deze buis was smaller en steiler dan de hoofdbuis. Mijn voeten roffelden op de grond en die van mijn achtervolgers klonken nog harder.

'Kom op, Dogs, Fred! Grijp dat ettertje!' riep de leider tegen zijn maten.

Ik had geen idee waar ik heen ging. Ze kwamen duidelijk steeds dichterbij, maar ik hoorde ook een ander geluid, dat ik niet kon thuisbrengen.

Het klonk niet als het verre gerommel van treinen. Het was iets anders.

Ik bleef rennen. Links en rechts passeerde ik ingangen naar nog kleinere buizen, maar die waren te smal om in te klimmen.

Uit de ingangen begon water te druppelen, de buis in waarin ik liep. Ik wist dat een stad als de onze kilometers afwateringsbuizen moest hebben, maar ik had me nooit gerealiseerd dat er zo'n uitgebreide onderwereld bestond.

Het duurde niet lang voor ik tot mijn enkels door het water liep. Toch bleven ook de voetstappen achter me nog steeds klinken.

Het gerommel werd luider en plotseling begreep ik wat het was. Het was het geheel van al die tientallen afvoeren die ratelden door het water dat via de putten en riolen van de stad naar binnen stroomde. Kleinere buizen kwamen uit op grotere tunnels, die op hun beurt met grote watervallen de grootste afwateringstunnels vulden.

Het water kwam inmiddels tot halverwege mijn kuiten en ik kwam steeds moeilijker vooruit. Ook de jongens achter me kregen er problemen mee.

Ik begon me zorgen te maken. Geef het toch op, sukkels! We moesten allemaal maken dat we hieruit kwamen. Ik herinnerde me dat pap me ooit verteld had dat stromend water, als het eenmaal tot boven je knieën staat, veel gevaarlijker is dan het lijkt.

De buis werd steiler en daalde steeds verder af naar wie weet waar. Zelfs de sterkste zwemmer zou het zwaar vallen te vechten tegen duizenden liters water die van alle wegen, straten en trottoirs in de stad het riool in liepen. Ik moest moeite doen om overeind te blijven. Het geluid van het snelstromende water echode hard door de tunnel en ik wist niet of ik nog achterna werd gezeten. Het enige wat ik hoorde, was het wassende water.

Nu zat ik pas echt in de problemen. Ik werd voortgestuwd door het kolkende water. Het duwde me omver en ik probeerde uit alle macht de map met paps tekeningen en mijn zaklamp boven mijn hoofd te houden om te voorkomen dat ze nat werden. Plotseling werd ik geraakt door een krachtige golf en verloor ik mijn evenwicht. De map en de zaklantaarn vlogen uit mijn hand.

Zodra de zaklantaarn het water raakte, ging hij uit en werd ik in een diepe duisternis gedompeld. Ik schreeuwde en sloeg om me heen in het water dat me voortstuwde als een surfer. Blindelings strekte ik mijn armen uit en zocht naar de plastic map. Ik dacht alleen nog maar aan de tekeningen.

De kracht van de stroom voerde me sneller mee dan ik kon zwemmen. Ik werd tegen de muren gekwakt en schuurde erlangs. Ik had geen idee waar de tekeningen waren. Ik schreeuwde in het donker terwijl ik werd meegevoerd. Ik schreeuwde om hulp, maar niemand hoorde me.

Voor me dacht ik blauwachtig licht te zien.

Het licht werd sterker. En toen zag ik een uitgang met tralies ervoor, boven de ruwe golven van de oceaan. De tekeningen was ik kwijt. Die dobberden waarschijnlijk al ergens ver van de kust en zouden langzaam naar de bodem van de oceaan zakken.

De golf duwde me sneller en sneller naar de tralies en de oceaan. Maar toen zag ik iets ongelooflijks. Voor het traliewerk zat gaas om het vuil en de rommel op te vangen. En precies in het midden zat mijn map. Ik botste tegen de tralies aan en greep de map vast. Door de aanvaring met mijn lichaam schoot het gaas los en het vloog het kolkende water in. Ik klemde me met één hand aan de tralies vast en hield in de andere de map vast, terwijl het snelstromende water me mee probeerde te trekken.

Zo bleef ik een hele tijd hangen. Mijn hoofd kon ik maar net boven water houden en mijn vingers werden wit en rimpelig, maar ik liet de tralies en de map niet los.

Na wat een eeuwigheid leek, begon het water te zakken. Uiteindelijk verdween het helemaal en kon ik mijn voeten weer op vaste bodem zetten.

13.50 uur

Alles was doorweekt. De bende van drie was al lang en breed verdwenen. Ik had me weten te redden uit de afwateringsbuizen en liep nu onopvallend door de regen. Gewoon een doorweekte voetganger die overvallen was door het noodweer.

Vanuit een telefooncel belde ik Boges en hij kwam me direct te hulp. Ik weet niet hoe hij het voor elkaar kreeg, maar hij repareerde mijn mobiel en gaf me droge kleren, een nieuwe zaklamp en een waterdichte zak om mijn spullen beter in op te bergen. Al na tien minuten moest hij weer weg. Kon ik maar met hem mee...

17.33 uur

De nis in de tunnel was zeiknat. Er lagen plassen op de plek waar ik had geslapen. Het regenwater was kennelijk heel hoog gekomen. Met mijn natte kleren veegde ik het zo goed en zo kwaad als het ging droog zodat ik kon uitrusten, maar ik wist dat ik hier niet langer kon blijven. Ik wilde niet nog een keer de kans lopen om hier in de val te raken.

21.01 uur

Ik ging liggen en probeerde te slapen. Mijn lichaam en geest waren nog onrustig door de bende en de overstroming. Ik had een gruwelijke hekel aan vechten.

In de eerste klas van de basisschool zaten Boges en ik een keer tussen de middag op de bankjes onder de bomen te eten toen twee grote jongens, Kyle Stubbs en Noah Smith, naar ons toe kwamen.

'Wat eet je daar voor smerigs, leipo?' vroeg Kyle en hij wees op Boges' lunchtrommeltje.

'Ja, leipo,' echode Noah.

Mevrouw Michalko had gefrituurde aardappelballetjes gemaakt voor Boges. En ze had hem er extra veel gegeven omdat ze wist dat ik ze ook erg lekker vond.

Zelfs op zijn zesde was Boges al een en al redelijkheid en logica. 'Dat heet *pierogi* en je bent zelf een leipo.'

Kyle schopte tegen het trommeltje, waardoor de balletjes alle kanten op vlogen. Ze rolden over de grond en kwamen onder het zand en vuil te zitten.

'Waarom doe je dat?' vroeg Boges. 'Wat moet ik nou eten?'

'Boehoe,' zei Kyle om hem belachelijk te maken.

Ik keek om me heen of ik de juf zag, maar er was niemand.

Kyle schopte tegen de pierogi op de grond. 'Dit kun je best nog wel eten,' zei hij met een lelijke grijns. Met zijn vieze handen pakte hij een paar van de smerige aardappelballetjes. 'Kom op. Mond open.'

Noah pakte Boges en probeerde zijn mond open te wringen. Boges schopte en spartelde en viel bijna van de bank. Ik wist niet wat ik moest doen. Ik was veel kleiner dan die jongens. Maar toen ik zag dat Kyle probeerde de zanderige balletjes in Boges' mond te proppen, knapte er iets in me. Met alle kracht die ik in me had, wierp ik me op Kyle Stubbs. Ik was maar klein en Kyle was toen al flink uit de kluiten gewassen, maar hij verloor zijn evenwicht en tuimelde op de grond terwijl hij Noah meetrok in zijn val.

'Kom op, Boges,' riep ik en ik trok mijn vriend overeind.

Terwijl Kyle en Noah nog probeerden op te krabbelen, raceten wij langs hen heen en schopten zand in hun gezicht.

Ze hebben ons nooit meer lastiggevallen.

20 februari

10.31 uur

'Kunt u me doorverbinden met Eric Blair?' vroeg ik. Ik had eindelijk besloten naar paps werk te bellen en Eric te vragen of hij iets wist.

'Het spijt me,' zei de vrouw aan de andere kant van de lijn. 'Eric Blair zit ziek thuis. Hij is... hij is niet in orde. Ik kan wel een boodschap aannemen, maar ik weet niet wanneer hij er weer is.'

'Dat geeft niet. Ik probeer het een andere keer nog wel,' zei ik en ik hing op.

Ik had hem nog niet neergelegd, of mijn mobiel ging.

'Hallo?'

'Waarom heb je me niet gebeld?'

'Winter?'

'Wie anders? Nou, hoe zit het? Waarom hoor ik niks?'

'Wat? Ik heb je zo vaak geprobeerd te bellen. Jouw mobiel staat al twee weken uit!' Ik hoorde zelf hoe wanhopig het klonk en dimde een beetje. 'Nou ja, zoiets.'

'Ik ben soms moeilijk te bereiken. Ik heb dingen te doen. Oké, wil je die engel nou nog zien of niet?'

Swann Street

Terwijl ik bij het station in Swann Street op Winter stond te wachten, bekeek ik het mededelingenbord met advertenties voor bijbaantjes, kamers, te koop aangeboden laptops, auto's en meubilair. Toen ik zag dat iemand met een spuitbus 'no psycho' had gespoten naast een omgekruld 'gezocht'-affiche met wat ooit mijn gezicht was erop, trok ik me terug in de schaduw.

Heb je deze jongen gezien?

OMSCHRIJVING

Leeftijd: 15 jaar	Haar: Blond
Lengte: 178 cm	Ogen: Blauw-groen
Gewicht: 75 kg	Huidskleur: Blank

Neem dan contact op met de politie.
Benader hem niet,
want hij kan gewapend en gevaarlijk zijn.

Het leek wel of alles en iedereen achter me aan zat.

Ik klopte op mijn rugzak en controleerde of de tekeningen er nog waren. Ik had de map achter de harde plastic achterkant van de rugzak gestoken en alleen als je er heel goed naar zocht, zou je hem vinden.

23.35 uur

Ik zag Winter voordat ze mij in de gaten had. Met haar alternatieve kleding en het schijnsel van de verkeerslichten achter zich, zag ze eruit als een vreemd wezen uit een of andere sprookjeswereld. Toen ze dichterbij kwam, hoorde ik het getingel van de belletjes die aan de zoom van haar lange witte rok hingen.

Tot mijn verbazing wandelde ze zo langs me heen. 'Je wou de engel toch zien, of niet?' vroeg ze en ze keek met opgetrokken wenkbrauwen achterom.

Ik keek in haar donkere amandelvormige ogen en ze schonk me een koele glimlach.

'Ik had best tot morgen willen wachten,' zei ik, 'maar jij wilde per se vanavond.'

'Inderdaad. Morgen heb ik het veel te druk voor dit soort dingen.'

'School?' vroeg ik.

Ze schudde haar hoofd. 'Ik ga niet naar school. Ik krijg thuis les. Maar toch moest het vanavond. Het is volle maan en die heb ik nodig.'

'Ben je van plan in een weerwolf te veranderen?' grapte ik.

'Wacht maar af. Kom je nou nog?'

Hoewel het een grapje was van die weerwolf, besefte ik terwijl ik haar volgde dat ik geen idee had wat ze nou eigenlijk van plan was. De waarschuwende woorden van Boges echoden door mijn hoofd, over de *good cop* en de *bad cop* in tv-series.

23.48 uur

Ik moest flink doorlopen om Winter bij te houden. Ze leidde me door de straten van de stad met haar wilde haren achter zich aan wapperend. Ze liep voor me uit alsof ze de baas was over de hele wereld.

Pas aan de voet van de heuvel herkende ik het pad dat naar Memorial Park leidde. Het park waaruit ik was ontvoerd.

'Waar gaan we heen?' vroeg ik.

'Dat zul je wel zien.'

'Ik ben zo iemand die het prettig vindt om te weten waar hij heen gaat.'

'Werkelijk?' Ze stond stil. 'Ik dacht dat je de engel wilde zien.'

'Dat is ook zo. Ik wil alleen nu al weten waar hij is.'

'Hoor eens, we komen er sneller als je ophoudt met vragen stellen.'

Een pad in de buurt van Memorial Park

23.52 uur

De laatste keer dat ik hier was, kwam ik in de kofferbak van een auto terecht en daarna in een bezemkast. Ik treuzelde.

'Kom nou.' Winter greep mijn arm. 'Je bent toch niet bang of zo?'

'Natuurlijk niet,' loog ik.

'Nou, kom dan. We zijn er bijna.' Ze haastte zich door het maanlicht en de zilveren belletjes aan haar rok rinkelden.

Ik probeerde kalm en oplettend te blijven.

23.59 uur

Ik bleef om me heen kijken en zocht in elke schaduw naar bewegingen. Op deze donkere, afgelegen plek kon iedereen ons plotseling bespringen, míj bespringen. Bij die gedachte bonkte mijn hart in mijn keel en een misselijk gevoel in mijn maag maakte het moeilijk me te concentreren. Ik stond op scherp en was op alles voorbereid: wegrennen of vechten voor mijn leven.

We stopten bij de lage, brede trap die richting het monument liep. Zo ver was ik nog nooit het park in geweest.

'Soms slapen hier zwervers.' Winter trok het roestige hek open dat het terrein van het monument afsloot. Het slot zag eruit of het al heel lang geen dienst meer deed.

Net voor we naar binnen gingen, duwde ze me haar horloge onder mijn neus. 'Kijk,' zei ze. 'Het is middernacht geweest en ik ben niet in een weerwolf veranderd.' Ze lachte en ontblootte haar tanden. 'Nog niet.'

We stapten over de rommel en de bladeren, ik probeerde me te ontspannen toen ze mijn hand pakte en me meetrok, het maanverlichte monument in.

21 februari

Nog 314 dagen te gaan...

Memorial Park
Het monument

00.03 uur

Ik stond in het midden van een ronde ruimte met een mooi versierde mozaïekvloer. Voor me op een hoog voetstuk stond een beeld; het soort beeld dat je ziet op graven of herdenkingsmonumenten. Het was of ik weer terug was op de Crookwoodbegraafplaats, waar Boges en ik midden in de nacht naar de grafkelder van de Ormonds hadden gezocht.

Het was een warme zomeravond geweest, maar nu waaide er een koude wind die de dode bladeren optilde en ze in een griezelige werveling omhoog droeg. Ik huiverde en keek op naar het spookachtige standbeeld.

'Dat is geen engel, dat is gewoon een soldaat.' De angst nam bezit van me. Ik zat gevangen. Ik was haar uit vrije wil gevolgd naar deze enge plek en nu kon iedereen mij of mijn tekeningen grijpen.

Ik wilde net de trap weer af lopen, toen ze me riep. 'Waar ga je heen? Kijk eens omhoog.'

Ze strekte haar arm uit en keek naar de hemel. 'Daar is je engel.'

Ik aarzelde even en deed toen wat ze zei. Ik keek omhoog tot ik over het hoofd van het standbeeld naar het glas-in-loodraam hoog in de muur van het monument keek. Mijn adem stokte in mijn keel. Daar, in het licht van de maan dat door het gekleurde glas scheen, gloeide de figuur van de engel precies zoals mijn vader hem had getekend. Het gasmasker hing om zijn nek en hij had een tinnen helm op zijn hoofd. Achter hem zag ik de gespreide vleugels.

Ik stond als aan de grond genageld. Eindelijk had ik de engel gevonden. Ik weet niet hoe lang ik naar hem heb staan staren. Pas toen ik mijn blik liet zakken en aan de voet van de figuur een inscriptie zag, begreep ik waarom mijn vader deze engel twee keer had getekend, eerst in zijn brief uit Ierland en nog eens in het ziekenhuisbed.

TER HERINNERING
AAN PIERS ORMOND,
IN 1918 GESNEUVELD
IN VLAANDEREN

'Ormond,' zei ik ten slotte. 'Dat is mijn achternaam.' Ik wendde me tot het meisje naast me.

'Dat weet ik. En je wist niks van dit monument?'

'Nee, niks.' Ik wees naar het glas-in-loodraam.

'Mijn vader heeft me een eeuwigheid geleden wel eens verteld dat een familielid van ons is gesneuveld in de Eerste Wereldoorlog, maar dat zei me niet zo veel. Maar waarschijnlijk heeft hij daarover iets ontdekt toen hij in Ierland was en...' Ik stopte en realiseerde me dat het niet veel had gescheeld of ik had haar verteld over paps laatste brief uit Ierland, waarin hij het voor het eerst had over de geweldige ontdekking die hij aan het doen was.

'En?' Ze fronste haar wenkbrauwen en begreep dat ik niet zomaar was gestopt met praten. 'Het is geen algemeen voorkomende naam,' zei ze. 'Het zou familie kunnen zijn.'

Wat betekende het? Waarom had pap Piers Ormond getekend? Hoe wist Winter dit allemaal? Mijn opwinding veranderde snel in wantrouwen. 'Hoe weet jij dat deze engel hier was? Hoe heb jij dat ontdekt? Heeft Sligo het je verteld?'

'Sligo?' herhaalde Winter. 'Waarom denk je dat? Híj weet hier niks van. Hij is hier nog nooit geweest.' Ze gebaarde naar de engel. 'Hier ga ik juist naartoe als ik niet in de buurt wil zijn van mensen als Sligo. Maak je geen zorgen, Cal. Het geheim van je engel is veilig bij mij.'

'Hoe bedoel je, gehéím? Waarom zeg je dat? Waarom denk je dat de engel te maken heeft met een geheim?'

Bij het licht van de maan zag ik dat ze met haar

ogen rolde. 'Jeetje, man. Moet je erg je best doen om zo dom te zijn of gaat het helemaal vanzelf? Natuurlijk heeft de engel te maken met een geheim. Waarom ben je anders zo wanhopig op zoek om meer aan de weet te komen? Waarom zou je anders rondlopen met een tekening van deze engel? Waarom probeert Sligo meer te weten te komen over de Ormond-singulariteit? Natuurlijk is er een geheim. Denk je soms dat ik achterlijk ben of zo?'

Ze had gelijk. Je hoefde geen genie te zijn om dat te begrijpen.

'Ik denk van alles van jou,' zei ik ten slotte, en ik bedacht dat ik haar mooi, eigenaardig, vreemd, geheimzinnig, mysterieus... en vreselijk irritant vond, 'maar niet dat je achterlijk bent.'

Ze wierp een blik op me. Nu was zíj op haar hoede en wist ze niet of ze mijn antwoord moest opvatten als een compliment of een belediging. Na een poosje zei ze: 'Ik weet al zo lang als ik me kan herinneren dat deze engel hier is. Ik kwam hier vaak toen ik klein was, toen we nog in Dolphin Point woonden. En na het ongeluk ging ik ook regelmatig.'

'Dat ongeluk,' vroeg ik, 'waarbij je ouders zijn omgekomen?'

Ze gaf geen antwoord. Ik wist dat ze haar ouders bij een ongeluk had verloren, maar wat was er gebeurd? Ik wist dat het waarschijnlijk te vroeg was en dat ze het me nog niet wilde vertellen, en misschien zou ze dat wel nooit doen. Ze draaide zich om en keek weer naar de engel. 'Ja, toen kwam ik hier vaak. Dit was mijn speciale plek. Als het warm is, is het hier koel en overdag is er bijna nooit iemand. Ik kom hier nog steeds wel eens, vooral als ik verdrietig ben.'

Als ik haar gezicht niet had gezien toen ze me de foto van haar ouders in het medaillon liet zien, had ik gedacht dat Winter te cool was om verdrietig te zijn. Te cool en te stoer.

Ik begon het gevoel te krijgen dat ik haar misschien toch kon vertrouwen. Vertelde ze de waarheid? Ik kon er niet achter komen. Ik besloot Boges' waarschuwing voorlopig te negeren en probeerde van het moment te genieten. Deze engel verbond eindelijk de naam Ormond aan twee van de tekeningen van mijn vader, en aan het Ormond-raadsel. Dit glas-in-loodraam met de informatie over Piers Ormond was een groot stuk van de puzzel die Boges en ik probeerden op te lossen. Ik haalde mijn mobiel tevoorschijn, nam een foto van het raam en stuurde die naar Boges.

Het werd opeens een stuk donkerder. Waarschijnlijk schoof er een wolk voor de maan. Ik draaide me om en wilde Winter bedanken dat ze me hierheen had gebracht om me de engel te laten zien. Ze was nergens te bekennen. Toen ik de engel fotografeerde en naar Boges stuurde, was ze ervandoor gegaan.

Ik kon alleen maar hopen dat ze niet rechtstreeks naar Sligo ging.

00.34 uur

Het was nu rustig op Liberty Square. Er waren nog maar een paar mensen op straat. Ik liep snel, met de capuchon over mijn gezicht en mijn kraag hoog opgetrokken. Ik wilde naar St. Johns Street om poolshoogte te nemen bij het vervallen huis. Ik kon niet terug naar de rioolbuis. Vanavond niet.

Onderduikadres
St. Johns Street 38

01.30 uur

Ik was onder het huis gekropen, maar verstijfde toen ik stemmen en voetstappen hoorde.

Ik kroop op de veranda en sloop naar de zijkant van het huis, waar ik door een kier in een van de dichtgetimmerde ramen kon gluren.

Er zaten drie mensen op de grond iets te drinken. Op de grond waar ik zo veel harde nachten had doorgebracht. Twee mannen in sjofele kleren en een jonge vrouw met een strak gezicht en piekhaar zaten op mijn stoelen en aan mijn tafel. Het was een warme nacht, maar de vrouw had zwarte wanten aan en een oude wollen sjaal om haar smalle schouders. Ze hadden zich te goed gedaan aan mijn eten, dat zag ik aan de lege blikjes op de grond. Ik durfde ze niet te storen, want ik wilde geen problemen. Maar ik had enorme honger en toen ik in mijn zakken had gevoeld hoeveel geld ik nog had, bleek er van het geld dat ik van Boges had gekregen niet veel over te zijn.

Ik moest op zoek naar een andere slaapplaats.

02.01 uur

Ik liep verder, mijn hoofd naar beneden, en passeerde een groep mensen die zaten te eten in zo'n tentje dat tot 's avonds laat open is. Ik had zo'n honger dat ik me even afvroeg wat ze zouden doen als ik naar hun tafeltje zou lopen, zou gaan zitten, ze toeknikte en dan een flinke hand van hun patat nam.

Dat zouden ze vast niet leuk vinden.

En hoe zou de bediening reageren als ik aan het tafeltje naast hen ging zitten om het menu te bestuderen?

Die zou het ook niet echt op prijs stellen. Het probleem was niet alleen dat ik niet genoeg geld had. Ik zag er niet uit. Ik moest nodig onder de douche, mijn kleren waren vuil en ik wist dat ik stonk. Ik herinnerde me een verhaal over de oude Vikingen. Als zij iets heel slechts hadden gedaan, kregen ze een brandmerk op hun voorhoofd van een wolf en werden ze vogelvrij verklaard. Ze behoorden niet langer tot de gemeenschap van de mensen. Niemand mocht hun voedsel of onderdak verstrekken of iets met ze te maken hebben. Mijn vieze kleren, smerige gezicht en haar waren mijn wolfsbrandmerk.

02.32 uur

Ik hurkte in een hoekje van een ongebruikt, open schuurtje op het spoorwegterrein en probeerde niet te denken aan mijn kwetsbare positie en duistere vooruitzichten of aan mijn rammelende maag. In plaats daarvan concentreerde ik me op het nieuwe aanknopingspunt van de engel.

03.13 uur

Het regende. Ik sleepte een paar verweerde golfplaten bij elkaar en zette die schuin tegen de balken die het schuurtje overeind hielden. Dat hield iets van de striemende regen tegen. Ik kroop diep in mijn slaapzak en probeerde droog te blijven. Het geraas van de treinen boven de wind en regen uit hield me wakker, tot ik eindelijk in slaap viel, te moe om me nog ergens druk over te maken.

05.59 uur

Toen ik ging zitten, deed alles me pijn door het liggen op de keiharde grond. De nachtmerrie had me weer eens gewekt, over de witte speelgoedhond, het

gillende kind en het gevoel van volledige verlaten-
heid... Waarom bleef die steeds terugkomen?

Mijn slaapzak was doorweekt. Mijn rechterschouder deed pijn en was gezwollen, hij wilde blijkbaar
niet helen. Ik hoopte maar dat hij niet ontstoken
was.

Ik stond op, rolde de slaapzak op en liet hem in
een hoek van het schuurtje liggen. Ik had maar
een paar uur geslapen, maar moest verder.

06.23 uur

De hemel begon lichter te worden en door de straten van de stad liepen al wat mensen. Ik liep een
heel eind bij het spoorwegterrein vandaan. Op een
gegeven moment was ik in een steegje waar een
winkeleigenaar net fruit en groente uit een auto
laadde. Hij verdween met een steekkarretje in de
winkel en trok met zijn voet handig het rolluik
naar beneden. Buiten op de stoep stond nog een
doos druiven.

Toen ik in groep drie zat, had ik een keer iets
gejat: een puntenslijper in de vorm van een vlieg-
tuig, van Tommy Garibaldi. Tommy was zo'n jonge-
tje dat altijd op school kwam met de nieuwste en
coolste spullen, die iedereen wilde hebben. Voor ik
de puntenslijper pakte, had ik bedacht dat Tommy
hem toch niet zou missen. Maar later voelde ik me
zo ellendig, dat ik tijdens het speelkwartier de klas

weer in sloop om de puntenslijper terug te leggen. Sindsdien had ik niets meer gestolen. Nu aarzelde ik geen moment. Ik pakte de doos met druiven op en ging er als een haas vandoor.

Pas in een parkje stopte ik met rennen. In de bomen boven me hoorde ik vogels kwetteren. Ik plofte neer in de buurt van een boom, trok het deksel van de doos en viel aan op de druiven. Ik verslond ze als een varken en het duurde niet lang voor ik me barstensvol achterover in het gras liet vallen.

08.00 uur

Ik zat in de shit. Dubbelgeslagen van de krampen in mijn maag lag ik op het gras. Misschien had de man van de winkel die druiven niet per ongeluk buiten laten staan.

Net goed, dan had ik maar niet moeten stelen, dacht ik.

Ik vervloekte de schoolkinderen die verderop bij een bushalte stonden te lachen en te kletsen, terwijl ik in m'n eentje onder een boom in een park lag te vergaan van de pijn. Hoe zou mam zich voelen als ze wist dat haar zoon ergens in een park beroerd lag te wezen?

Na een hele tijd werden de krampen minder. Ik sleepte me een eindje verder, onder struiken waar niemand me zag, en viel daar in slaap.

Geschrokken werd ik wakker. Er ritselde iets in de struiken. Ik hield me doodstil en luisterde aandachtig voor ik mijn hoofd omdraaide om te kijken wat het was.

'Ja, daar ligt een man.'

'Ssst. Hij wordt wakker.'

'Wedden dat ik hem hiermee raak? Moet je opletten,' zei een andere stem.

Er vloog een steen door de bosjes, die me op mijn achterhoofd raakte.

'Raak! Dat is je verdiende loon, zwerver.'

Ik hoorde het geluid van tegen elkaar slaande handen. Langzaam draaide ik mijn hoofd en zag drie paar schoenen, vermoedelijk van tieners. Het kon me niet schelen wie me zag, ik was woest. Hoe haalden ze het in hun achterlijke hoofd me zo te behandelen? Een ander mens nog wel! Ik sprong overeind en rende als een woest beest de bosjes uit. 'GRRRRR!'

Ze holden gillend weg.

'Op een dag ben je er zelf misschien wel zo aan toe,' riep ik hen na.

Ze verdwenen en ik bleef geschokt staan. Ik moest weer denken aan het wolfsteken. Er liepen zo veel mensen in de stad rond met een wolfsteken en ze werden allemaal behandeld als oud vuil. Het was zo verkeerd.

Ergens achter me tussen de struiken ging mijn mobiel en ik kroop er snel heen. 'Hallo?' zei ik, want ik had het nummer niet herkend. De zon stond hoog aan de hemel en door de hitte en de woede stroomde het zweet langs mijn lijf. Ik ging in de schaduw zitten.

'Spreek ik met Callum Ormond?' vroeg een vrouw.

Jennifer Smith? De mysterieuze vrouw?

'Ja,' zei ik voorzichtig en ik keek om me heen. Ik zag alleen een vrouw met een klein meisje op een schommel aan de andere kant van het park.

'Wat is er gebeurd, die dag dat we een afspraak hadden? Je zei dat je zou komen.' Ze klonk oprecht bezorgd, niet geïrriteerd.

Ik ontspande me een beetje. Ik moest op mijn hoede blijven, maar dit was zeker niet de stem van Oriana de la Force. 'Ik was onderweg,' zei ik, 'maar er gebeurde iets onverwachts.'

Dat was in elk geval waar. Ik wist niet hoeveel ik tegen haar kon zeggen. Ik had geen idee wie ze was.

'Hoor eens,' zei ik. 'Ik dacht dat u me in de val had gelokt. Hoe kan ik weten dat u te vertrouwen bent?'

Ik hoorde haar ademhaling door de telefoon. Ik hoopte maar dat ze niet druk zat te bedenken welke leugen ze me op de mouw kon spelden.

'Ik weet niet wat ik je moet zeggen, Callum. Ik weet alleen dat je vader heel grote, warme en eerlijke ogen had, zelfs toen hij zo vreselijk ziek was. Hij wilde echt dat ik je zou helpen. Ik heb de foto van jou en hem die hij in zijn portemonnee had naast zijn bed gezet. Die foto van jullie op het vliegveld bij de auto, met allebei dezelfde glimlach. Ik heb zijn hand vastgehouden en hem beloofd dat ik zou doen wat ik kon om jou te helpen.'

Ik wist precies over welke foto ze het had. Die was genomen bij de cadetten van de luchtmacht, niet lang voordat hij naar Ierland was vertrokken. 'Waarom wilt u met me afspreken?' vroeg ik. 'Heeft u de tekeningen gezien die mijn vader in het ziekenhuis heeft gemaakt?'

'Ja,' zei ze en ik geloofde haar. 'Maar daar kunnen we het over hebben als we elkaar zien.'

'Heeft hij ooit iets gezegd over iets dat de Ormondsingulariteit heet?'

'Ik geloof het niet. Hij was al zo ziek toen hij in het ziekenhuis werd opgenomen. Soms was het erg moeilijk om hem te begrijpen.'

'U zei dat u iets voor me had?' Ik herinnerde me dat ze dat tijdens ons vorige gesprek gezegd had. 'Wat is dat?'

'Daar wil ik door de telefoon liever niet over praten.'

Ik hoorde angst in haar stem.

'Ik leg het wel uit als we elkaar zien, Cal. Ik weet dat de situatie gevaarlijk is. Het is niet gemakkelijk voor jou, maar voor mij ook niet.'

'Waar wilt u afspreken?' vroeg ik.

'Ik werk op het moment in de dierentuin. Dat is volgens mij voor ons allebei een veilige plek om af te spreken. Dan kan ik al je vragen beantwoorden.'

'Goed. Wanneer?'

'Zondag de achtentwintigste?'

Het moest maar. Ik zou wachten. 'Hoe laat?' vroeg ik, ongeduldig uitziend naar de ontmoeting.

'Half vijf? Dan ben ik wel klaar.'

'Waar?'

'Weet je waar de zonnewijzer is?'

Dat wist ik. Het was een bekende ontmoetingsplaats in de dierentuin. 'Ik zal er zijn,' zei ik.

Ze hing op en ik stopte mijn mobiel weg. Deze vrouw had mijn vader gekend. Ze had de tekeningen gezien. Ik voelde mijn hoop weer groeien. Misschien had ze dokter Edmundson wel geholpen met het uitzoeken van paps spullen. Wat zou ze voor me hebben? Mijn hart sloeg op hol van opwinding.

Met elk klein beetje informatie kwam de onthulling van paps geheim een stukje dichterbij. Ondanks het slappe gevoel dat ik had door de maagkrampen, en de woede die ik net had gevoeld over die stenengooiertjes, had ik weer het idee dat ik alles aankon.

Mijn mobiel ging en ik greep hem meteen.

'Ik zie net je foto van de engel! De Ormond-engel. Nu hebben we een echte link naar de naam van je familie,' zei Boges. 'Zodra je kunt, moet je die bejaarde oudoom van je op het platteland gaan opzoeken, voor hij ertussenuit piept naar de grote landingsbaan in de hemel.'

'Misschien is hij daar al heen gevlogen. Maar ja, je hebt gelijk.'

'Nee joh, hij leeft nog. Je moeder had het nog over hem, de laatste keer dat ik haar zag. Ze had contact met hem opgenomen omdat ze hoopte dat je misschien naar hem toe was gegaan.'

'Dan is het maar goed dat ik dat nog niet had gedaan.'

'Het is een echte doorbraak, die engel. Hoewel...'

Ik wist dat hij weer wilde gaan zeggen dat hij Winter niet vertrouwde, maar ik wilde het niet horen. Ja, na die grote onthulling was ze weer eens spoorloos verdwenen, maar dat kon me niets schelen. En ik ging het hem ook niet vertellen.

'Had jij eigenlijk wel eens van die Piers gehoord?' vroeg Boges.

'Mijn vader heeft ooit verteld dat familie van hem, een oud-oudoom of heel verre neef of zo, in de Eerste Wereldoorlog is gesneuveld. Dat moet hij geweest zijn. Op de foto is de tekst onder aan het raam misschien niet goed te lezen, maar daar staat dat hij in 1918 is omgekomen.'

Boges floot even. 'Je vader heeft vast in Ierland over dat glas-in-loodraam gehoord. Maar tegen de tijd dat hij terug was, was hij te ziek om er iets mee te doen. Of om te vertellen wat het betekent voor het GMO.'

'Dus heeft hij de engel getekend,' zei ik, hardop denkend, 'en die bij de brief gestopt die hij me heeft gestuurd. Hij schreef dat hij het allemaal zou uitleggen als hij thuis was. Waarschijnlijk kon hij niet wachten om thuis te zijn en het monument te bekijken, maar die kans heeft hij niet meer gekregen. Daarom heeft hij de engel nog een keer getekend,' zei ik.

'Omdat hij heel belangrijk is,' zei Boges. 'Dat zei ik toch al.'

Ik hoorde de opwinding in zijn stem.

'Ik zal wel wat onderzoek doen naar die Piers Ormond. Als hij zo belangrijk was dat ze een glas-in-loodraam voor hem hebben gemaakt, wordt hij vast ook op andere plaatsen genoemd.'

Er schoot me iets heel anders te binnen. 'Boges, ik heb op de achtentwintigste een afspraak met de mysterieuze vrouw. De verpleegster die pap heeft gekend.'

'Jennifer Smith, ik weet wie je bedoelt. Die kun je na de laatste keer toch niet vertrouwen? Je wist zo zeker dat ze je in de val had gelokt... Ze beloofde om je informatie te geven en toen werd je doodleuk ontvoerd.'

'Ik weet dat ze niet Oriana de la Force is, als je dat soms denkt. Ze sprak over mijn vader zoals alleen iemand kan doen die oprecht is. Trouwens, gisteren is het ook goed gegaan. Winter heeft gedaan wat ze had beloofd en nu weten we van Piers Ormond.'

'Het spijt me, jongen, maar ik vertrouw dat meisje nog steeds voor geen cent. Hoe weten we dat ze niet rechtstreeks naar Sligo is gegaan?'

'Ze kende die engel al toen ze nog een kleuter was. Voor zover wij weten, heeft ze hem er niets over verteld. Anders had hij de engel wel herkend toen hij de tekening zag. Trouwens,' voegde ik eraan toe, 'ze heeft een hekel aan Sligo. Ik geloof niet dat ze veel behoefte heeft om hem te helpen.'

'Dat zegt ze tenminste.'

Ik zag Winter voor me, met haar vurige donkere ogen en de manier waarop ze me vol zelfvertrouwen aankeek, alsof ze niets van me te vrezen had.

Maar Boges had gelijk. Ik wist het niet zeker.

'Wanneer kan ik die engel zien?' vroeg Boges. 'Ik kan niet wachten om hem nauwkeuriger te bekijken.'

'Morgen, rond half een?'

'Oké.'

Het kleine meisje op de schommel aan de andere kant van het parkje sprong eraf en rende naar haar moeder op een manier die me aan Gabi deed denken.

'Boges, hoe is het met Gabi?'

'Sorry Cal, geen nieuws. Maar ze houdt het nog steeds vol, ze is een vechtertje.'

Ik klemde mijn kaken op elkaar. Ik moest sterk blijven voor Gabi. Ik moest steeds weer denken aan alle keren dat ik haar aan het huilen had gemaakt als ze me irriteerde. Dan rende ik voor haar weg en verstopte me en als ze niet wist waar ik was, liet ze zich op de grond vallen en huilde tranen met tuiten omdat ze dacht dat ze helemaal alleen was. Was ik maar een lievere broer voor haar geweest.

Ik was vastbesloten om binnenkort de intensive care van het ziekenhuis binnen te sluipen en bij haar op bezoek te gaan.

'En mam?' vroeg ik.

'Ze is gisteravond bij ons thuis geweest. Ik zei dat ik nog steeds niet wist waar je was. Dat was waar, want ik wist het niet. Je kon overal zijn.'

'Zag ze er oké uit?'

'Ze is mager geworden en nog steeds een beetje verward. Het gaat niet echt goed met haar, Cal. Ze is nu aan het verhuizen. Rafe is er het grootste deel van de tijd en helpt haar met inpakken.'

Mijn reactie op het noemen van de naam Rafe was heel anders dan een paar weken geleden. Nu wist ik in elk geval dat hij het goed bedoelde en voor mam zou zorgen. Ik hoopte dat ze erdoor was opgevrolijkt dat het huis op haar naam kwam te staan.

'Er hangt bij ons huis trouwens een of andere stoere vent rond,' zei Boges. 'Draagt steeds een rood hemd. Hij heeft ook al een paar keer geprobeerd me te volgen.'

'Een rood hemd? Met Chinese tekens?'

'Ken je hem?'

'Boges, je moet voortaan echt nog voorzichtiger zijn! Dat is een van Sligo's gorilla's. Zorg alsjeblieft dat hij niet de kans krijgt je te volgen. Als hij mij te pakken krijgt, ben ik er geweest. Hij heeft me toen in die tank gegooid.'

'Zie je wel? Ik zei toch dat Winter niet te vertrouwen was?'

'Hè? Wat heeft zij er nou weer mee te maken?'

'Ze hoort ook bij Sligo's bende van potentiële moordenaars. Die hebben geen van allen een geweten.'

'Als ze me had verraden,' zei ik, 'zou Roodhemd allang weten waar ik was en niet bij jouw huis rondhangen in de hoop een spoor op te vangen.'

Boges bromde. Hij wist dat ik gelijk had.

22 februari

Nog 313 dagen te gaan...

Memorial Park
Het monument

12.23 uur

Toen ik bij het monument aankwam, was Boges er al.

Diep onder de indruk stond hij naar de engel te staren. 'Schitterend,' zei hij zonder zijn ogen er maar een moment van af te halen. 'Net als op de tekening van je vader.'

Samen stonden we in het koele, lege monument. De heldere zon scheen door de engel in het glas-in-loodraam en verlichtte de cementen vloer met een regenboog aan kleuren: geel, blauw, rood en groen. We knepen onze ogen tot smalle spleetjes en lazen wat er over de toegewijde soldaat stond geschreven.

Boges zette zijn zonnebril op. 'Onder het gasmasker zit nog iets kleins. Iets met groen en goud. Weet je nog dat we dachten dat je vader een medaillon had getekend?'

'Ja.' Ik haalde de engel uit de map. 'Op de tekening zie je onder het gasmasker ook nog net iets ovaals zitten.'

'Die vent heeft echt pech gehad,' zei Boges, 'dat

hij in het laatste jaar van de oorlog nog is gesneuveld.'

'Pech lijkt wel bij onze familie te horen.'

'Als we de aanwijzingen volgen die je vader heeft achtergelaten,' zei Boges en hij tikte op de tekening, 'zullen de Ormonds een keer geluk hebben.'

'Ik hoop het, Boges,' zei ik. Een ontdekking die tot grote opschudding zou leiden, had mijn vader geschreven. Dat kon toch alleen maar op iets goeds duiden?

12.48 uur

'Dankjewel dat je een oogje op mijn familie houdt,' zei ik toen Boges vertrok.

'O, geen probleem, Cal. Je moeder vindt het geloof ik leuk als ik langskom. Als ze mij ziet, lijkt het allemaal weer net als vroeger, zegt ze. Soms is ze zelf ook weer net als vroeger, weet je. Dan krijgt ze zo'n twinkeling in haar ogen. Maar net zo snel als de twinkeling komt, is die ook weer verdwenen.' Boges krabde op zijn hoofd. 'Ik ben vandaag over het hek van mevrouw Sadler geklommen om hier te komen, in plaats van de voordeur te nemen. Ik weet niet hoe lang het duurt voor ze me doorhebben.' Hij gaf me zijn lunch en het geld dat hij bij zich had voor de schoolexcursie van die dag, een tweede bezoek aan het observatorium. Boges had het excuus van een excursie niet nodig om daarheen te

gaan. 'Vandaag ga ik liever voor niks naar de bibliotheek,' zei hij. 'Om wat informatie op te duikelen
over Piers Ormond.'

'Waarom noemen ze de Eerste Wereldoorlog eigenlijk de Grote Oorlog?' vroeg ik.

'Omdat ze dachten dat het de laatste oorlog zou
zijn.' Plotseling sprong Boges naar achteren, weg
van het roestige hek.

'Wat is er?'

Hij pakte me beet en sleurde me mee naar binnen. 'Niet meteen kijken, maar zie je die vent bij de
ingang van het park? Ik weet bijna zeker dat ik
hem in een auto bij mijn huis gezien heb.'

'Wie? Roodhemd?'

'Nee, weer een andere. Ik dacht paranoïde te worden toen ik die vent bij ons huis zag, maar het is
wel heel toevallig dat ik hem hier nu ook weer zie.
Hij moet me zijn gevolgd.' Boges krabde weer op
zijn hoofd. 'Ik dacht echt dat ik voorzichtig was
geweest. Sorry, Cal.'

'Laat maar. We vinden er wel iets op.' Ik keek
even snel en jawel, daar liep een grote kerel met
een donker jasje over een T-shirt, zwarte spijkerbroek, gympen en een zonnebril. 'Als hij deze kant
op komt, ziet hij je vast en zeker.' Ik keek om de
hoek van de ingang van het monument. 'En hij
heeft duidelijk alle uitgangen stevig in de smiezen.
Er is geen uitweg mogelijk.'

Om het park stond een hoog ijzeren hek met akelig scherpe ijzeren punten aan de bovenkant. Daar kon echt niemand overheen klimmen, zeker Boges niet.

Ik dacht snel na. 'Hij heeft opdracht jou te volgen,' zei ik. 'De kans is groot dat hij dénkt dat hij weet hoe ik eruitzie, maar ik ben heel erg veranderd. Ik lijk totaal niet meer op de foto's die ze op tv en in de kranten laten zien.' Ik haalde me de keurige schooljongen voor ogen die ik had gezien op het politie-affiche toen ik op Winter stond te wachten. Daar leek ik in elk geval niet meer op. 'Ik loop gewoon op hem af. Dat is het laatste wat hij verwacht van iemand die op de vlucht is. Ik leid hem af en dan kun jij achter hem langs glippen. Tegen de tijd dat hij doorheeft dat hij je kwijt is, is het te laat.'

13.06 uur

'Heeft u een vuurtje, meneer?' vroeg ik aan de grote man.

'Wegwezen, jochie,' snauwde hij van achter zijn zonnebril.

'Een beetje kleingeld dan, meneer?' Met een half oog zag ik Boges met een enorme boog om de man heen naar de uitgang lopen.

De man trok een heel boos gezicht en probeerde te doen alsof ik er niet was.

'Ach,' zei ik. 'Een beetje kleingeld heeft zo'n vent als jij toch wel over?'

'Maak dat je wegkomt, kleine rat.' Hij deed een uitval naar me, maar ik was er klaar voor en dook snel weg.

Hij probeerde me weer te grijpen, maar nu begon ik te rennen. Ik zag hoe Boges achter hem het park uit glipte en verdween over het pad dat naar de grote weg leidde.

De bodyguard gaf de achtervolging op en vloekte naar me uit de verte voor hij zich omkeerde en verder liep naar het monument.

Daar wachtte hem een teleurstelling.

Maar toen zag ik dat hij stil bleef staan en naar mij keek. Hij wees naar me, pakte zijn mobiel en liep weg.

Internetcafé

13.23 uur

Voor ik het internetcafé binnenstapte, probeerde ik mijn ademhaling onder controle te krijgen. Ik vroeg me af wat de grote man met het jasje nu aan het doen was. Hij had me herkend, dat had ik wel gezien, en waarschijnlijk liet hij Sligo op dit moment weten dat ik in de buurt was. Snel keek ik om me heen. Het was aardig druk binnen, maar ik vond een plekje en een stoel en logde in terwijl ik één oog op de straat gericht hield. Ik moest zorgen dat ik hier snel weer weg was.

Ik wist dat er bij de toiletten een achterdeur was, dus als er iemand achter me aan kwam, kon ik binnen een paar tellen buiten zijn en over het hek klimmen.

Ik haalde een van Boges' boterhammen tevoorschijn. Mevrouw Michalko had er een of ander worstspulletje op gedaan dat ik niet kende en ik schrokte hem naar binnen zonder erover na te denken.

Toen ik om me heen keek op zoek naar een papiertje om aantekeningen op te maken, zag ik iets wat mijn hart opnieuw op hol deed slaan... Er zat een sticker op de computer met mijn gezicht erop. Het leek een soort verkleinde versie van de poster die ik een paar dagen geleden had gezien, alleen stond er nu het nummer op van een internetcafé, iets over mijn MySpace-adres, en vooral ook een recente foto van een beveiligingscamera! Ik sloot meteen de computer af om er zo snel mogelijk weer vandoor te gaan.

Toen ik opstond en om me heen keek, zag ik dat de stickers overal zaten. Op elke computer. Op elke tafel. Aan de muren. Voor de neus van iedereen die hier zat.

Als een speer was ik de achterdeur uit en het hek over.

Hoe moest ik nu aan informatie komen? Mijn foto was waarschijnlijk in elk internetcafé in de stad te vinden, misschien wel in de hele staat. Zo kon ik niet eens meer mijn MySpace-pagina checken.

🔲 Boges, mijn foto in internetcafé! NIEUWE foto. Waarschijnlijk van beveiligingscamera. Net op tijd weg. Geen info. Jij?

🔲 Cal! Klote! Ben in bieb. Nix te melden op My-Space. Laat je weten als t anders is. Heb raadsel van sfinx gevonden. Wat gaat eerst op 4 benen, dan 2, dan 3?

🔲 Weet niet.

🔲 Een mens. Baby kruipt op 4, volw. loopt op 2 en oud mens met stok op 3.

🔲 Dus 4, 2 en 3 zijn aanwijzingen voor paps raadsel?

🔲 Kan zijn. vergeet niet 5 in tekening van kast of deur of wat t ook is. Dus nu: 2, 3, 4 en 5? Betekent?

🔲 De bakker sloeg zn wijf?

📱 Te grappig, Cal. (Sarcastisch bedoeld, voor t geval je t niet merkt via sms.)

17.13 uur

Langzaam was ik teruggelopen in de richting van St. Johns Street, in de hoop dat het huis leeg was. Ik zou moeten wachten tot het donker was voor ik kon proberen binnen te komen. Ik keek er nou niet echt naar uit, maar het was in elk geval heerlijk om weg te gaan van de tunnel en het spoorwegterrein.

Ik hield mijn hoofd laag, maar zo nu en dan gluurde ik even naar de mensen om me heen. Dan vroeg ik me af of ik die jongen ooit weer zou zien; de jongen die er precies zo uitzag als ik. Maar dan sloeg de twijfel weer toe en vroeg ik me af of ik het me niet allemaal verbeeld had.

19.12 uur

Ik luisterde weer eerst vanaf de veranda. Alles was rustig en stil. Wie er ook waren geweest, ze waren nu weg.

Ik kroop door het gat in de vloer en ging languit liggen. Het was raar om me zo opgelucht te voelen dat ik terug was in deze bouwval. Maar alles was beter dan de afwateringsbuis.

Het was hier zo veel prettiger dan in de nis in de

tunnel. Ik had meer ruimte, er scheen het flauwe-
licht van een kaars, mijn radiootje speelde zacht
en ik had een blik bonen gevonden waarvan ik vergeten was dat ik het verstopt had.

📱 Boges, trug in mn villa. Kom je langs?

📱 Ik kijk wanneer ik kan. Hou je taai.

26 februari

Nog 309 dagen te gaan...

Onderduikadres
St. Johns Street 38

12.02 uur

'Sorry Cal, ik heb maar een paar minuten,' zei Boges. 'Volgens mij vertrouwt mijn moeder het niet meer. Ik denk niet dat ze iets tegen de politie zal zeggen, maar... ze zou een paar woorden kunnen laten vallen zonder het te bedoelen. En ik wil ook de goodwill van de leraren op school niet kwijtraken. Mijn cijfers zijn goed, dus zien ze wel wat door de vingers als ik te laat ben of helemaal niet kom opdagen, maar als ik het te vaak doe, denken ze misschien dat ik arrogant word.' Hij laadde zijn rugzak uit, gooide me een zwart petje, een volle accu voor mijn mobiel en wat voorraden toe. Een tros bananen, een zak broodjes en nog meer blikken bonen. Lachend maakte hij er een toren van.

'Wat is er?' vroeg ik en ik zette de pet op.

'Lekker primitief dieet. Nog meer hiervan,' zei hij toen hij het laatste blikje op de stapel zette, 'en je kunt over straat vliegen, voortgedreven door je eigen gassen.'

Heerlijk om weer eens zo hard te lachen.

'Heb je nog iets gehoord van dat grietje van Sligo?'

'Van Winter? Nee.'

'Dat is maar goed ook. Ik moet echt weg, maar ik hou je op de hoogte van MySpace en laat je weten of ik nog geniale invallen heb over het GMO. Daar kun je op wachten natuurlijk. Hier, nog wat.' Hij overhandigde me twee briefjes van tien. 'Ik heb de laptop van meneer Addicot gemaakt. Hij heeft me meteen betaald.'

'Heel erg bedankt.' Als Boges er niet was geweest, had ik mezelf al eeuwen geleden moeten aangeven.

'Ik weet dat je voor mij hetzelfde zou doen,' zei Boges. 'Het is oké zo.'

27 februari

Nog 308 dagen te gaan...

14.12 uur

Ik had de hele ochtend in de bibliotheek gezeten, maar niemand leek speciaal op me te letten. Boges en ik probeerden de nummers twee, drie, vier en vijf in verband te brengen met de aanwijzingen die we al hadden, maar zelfs zijn brein kon niks bedenken. Ik ging in gedachten alle dingen na die we tot nu toe in de tekeningen hadden ontdekt, maar er rolde niets nieuws uit. De Ormond-singulariteit bleef net zo ongrijpbaar als altijd.

Toen ik van de bibliotheek terugliep naar mijn schuilplek, voelde ik me gelukkig weer wat minder opvallend. Ik hoefde me alleen maar een tijdje gedeisd te houden en hard bezig te blijven met het oplossen van het gevaarlijke mysterie van de Ormonds. Misschien kon Jennifer Smith zorgen voor de doorbraak waarnaar ik zo hard op zoek was. Het klonk gemakkelijk. Maar ik wist dat het waarschijnlijk niet zo zou gaan.

28 februari

Nog 307 dagen te gaan...

Het busstation

15.20 uur

Het was warm en ik begon weer paranoïde te worden over hoe ik eruitzag. Ik trok mijn pet diep over mijn ogen.

Ik zocht mijn weg tussen de mensen die de bus van half vier naar de dierentuin wilden pakken toen mijn hart stilstond van schrik. Roodhemd. Wat moest die hier? Ik dook meteen weg in een deuropening en gluurde om de hoek om te zien wat hij deed.

Hij liet iedereen die langsliep een foto zien. Ik wist zeker dat hij naar mij vroeg. En na de foto in het internetcafé wist ik vrij zeker dat ook hij een redelijk recente foto had.

Mensen liepen verder en schudden hun hoofd. Niemand had de psycho-tiener gezien. Het was duidelijk dat hij in opdracht van Sligo op zoek was naar mij. Het ergste was dat hij vlak naast de bus naar de dierentuin stond. Ik zou langs hem heen moeten lopen om in te stappen. Ik hoorde de aankondiging dat de bus ging vertrekken. Als ik deze bus miste, was ik te laat voor mijn afspraak en het kon wel eens mijn laatste kans zijn.

Wanhopig zocht ik naar een manier om hem voorbij te glippen. Ik moest met die bus mee. Plotseling dacht ik aan iets wat ik laatst bedacht had: een techniek waarover ik had gelezen en die 'verbergen in het volle zicht' heette. Er waren twee dingen voor nodig: veel lef en een eenvoudig hulpmiddel om je zo goed als onzichtbaar te maken.

Dit was mijn kans om te kijken of het waar was. Zou het werken? Als het niet werkte, zat ik echt diep in de shit. Ik wist wat Sligo zou doen als hij me nog eens te pakken kreeg.

Met één oog op Roodhemd gericht liep ik naar een overvolle vuilnisbak. Iemand had er een aantal kartonnen dozen naast gezet. Ik pakte er een, deed het deksel dicht en zette de doos op mijn schouder alsof er iets in zat. Met mijn gezicht bijna helemaal achter de doos ging ik vervolgens in de rij voor de bus staan. Mijn hart bonkte. Van achter mijn beschutting kon ik de stem van Roodhemd horen.

'...kan heel gevaarlijk zijn,' hoorde ik hem zeggen terwijl ik zo vlak langs hem liep dat hij me had kunnen aanraken.

'...de familie heeft me ingehuurd om hem op te sporen...' ging hij verder toen ik dichter naar de bus liep met de doos nog steeds op mijn schouder. Wat een leugenaar!

Ik zag hoe hij zich met de foto de andere kant op

draaide, dus liet ik snel de doos vallen en stapte in. Terwijl de chauffeur het wisselgeld voor de vorige klant uittelde, schoof ik ongezien op de achterste bank.

Ik dook in elkaar toen de bus wegreed bij de halte, bij mijn achtervolger vandaan.

De dierentuin

16.15 uur

Ik stond achter een korte rij mensen voor het loket en maakte me zorgen over de tijd. We hadden om half vijf bij de zonnewijzer afgesproken, dus ik had nog maar een kwartier.

16.21 uur

Toen ik aan de beurt was bij het loket, schrok ik me kapot van de toegangsprijs. Het was ongelooflijk dom, maar ik had gedacht dat het veel goedkoper was. Als een klein kind liet ik de vrouw al mijn geld zien: wat kleingeld en een briefje van tien dat ik nog overhad van het geld dat Boges me had gegeven. Het was niet genoeg.

'Alstublieft,' probeerde ik. 'Ik heb alleen maar met iemand afgesproken bij de zonnewijzer. Ik zal niet naar de dieren kijken. Wilt u me alstublieft hiervoor een kaartje geven?'

'Heb je een scholierenpas?'

'Eh... nee, niet bij me.'

Zeker, hier is mijn scholierenpas, dacht ik. Ik ben Callum Ormond, vijftien jaar oud, gewapend en gevaarlijk. Laat me alsjeblieft die klotedierentuin in.

'Hoor eens, ik kan je alleen binnenlaten als je de volle prijs betaalt. Als ik iedereen maar korting ga geven, is de dierentuin zo failliet. En wie moet er dan voor de dieren zorgen?'

'Alstublieft,' smeekte ik. 'Ik vraag toch niet of u iedereen korting wilt geven, alleen mij maar, voor deze ene keer?' Op de klok die achter haar hing, zag ik de minuten wegtikken. Als ik me haastte, redde ik het nog, maar ik had geen tijd meer te verliezen. 'Alstublieft, de dag is al bijna om.'

Haar gezicht werd rood. 'Ik heb de regels niet gemaakt. Had dan ergens anders afgesproken. Dat kost het.' Ze wees op het bord met de tarieven boven het raampje. 'Je hebt niet genoeg en daarmee uit.' Ze keek langs me heen en gebaarde naar het stel achter me dat ze aan de beurt waren.

Ik raapte mijn geld bij elkaar, schoof het terug in mijn portemonnee en liep naar het toegangshek. Aan weerszijden stond iemand om kaartjes te controleren. Daar kwam ik echt niet ongezien langs.

16.28 uur

Als ik de tweede keer ook niet kwam opdagen, wat

voor excuus ik er ook voor had, kon dat het einde betekenen van de kans om in gesprek te komen met Jennifer Smith... de laatste link met mijn vader. Ik mocht haar niet mislopen. Er móést een manier zijn om binnen te komen.

Ik liep bij de ingang vandaan en sloeg de weg in die langs de dierentuin liep. Er was geen sprake van dat ik over de muur kon klimmen die om de dierentuin heen stond. Ik liep door tot ik bij een bocht kwam waar vlak bij de muur een hoge boom stond. Dit was mijn laatste kans.

Het viel niet mee om mezelf omhoog te hijsen. Daarna moest ik ook nog het prikkeldraad boven op de muur zien te ontwijken. De takken boden wel enige bescherming; daar hield ik me aan vast en ook aan de bovenkant van de muur. Ik hield mijn vingers onder het prikkeldraad, dat gespannen was tussen palen die op de muur stonden. Ik gooide mijn sweater over het prikkeldraad heen om wat bescherming te hebben terwijl ik eroverheen klauterde. Ik was blij dat ik zo veel aan atletiek had gedaan. Heel wat vaardigheden die ik niet had gedacht ooit nodig te hebben, kwamen me in mijn leven als vluchteling goed van pas.

Ik gooide mijn rugzak in de bosjes onder me, vlak bij wat stenen en een vijvertje. Ik schatte de sprong naar beneden op vier meter, dus ik liet me langs de muur naar beneden zakken om de afstand zo klein mogelijk te maken. Ik kwam hard terecht, maar ik brak mijn val zo goed en zo kwaad als het ging; mijn benen hield ik ontspannen en ik rolde een paar keer door voordat ik opstond en mijn rugzak pakte.

Ik was binnen. Snel keek ik om me heen, maar ik zag alleen nog meer bosjes en de vijver. Het zag ernaar uit dat ik in een van de oude, verlaten dierenverblijven was beland.

16.43 uur

Het enige wat ik nu nog moest doen, was hieruit zien te komen, de zonnewijzer opzoeken en horen wat Jennifer me te vertellen had. Ik was laat, maar hopelijk niet te laat.

Behalve een kleine deur met tralies in een muur achter me – en daar wilde ik niet heen omdat ik bang was een oppasser tegen te komen – zag ik maar één uitweg. Ik moest langs de rotsige muur tegenover me omhoog klimmen en mezelf dan optrekken tot ik op het brede pad kwam dat daarboven liep. Ik zag wel dat daar mensen liepen, maar ik had het te druk met klimmen om er erg op te letten.

Ik was net aan mijn klim begonnen, toen ik mensen boven me hoorde roepen. Dat kon ik nou net niet gebruiken, dat een hele groep mensen me in de gaten kreeg. Ik dook weg. Ze schreeuwden naar me, wezen en riepen van alles, maar omdat ze allemaal door elkaar riepen, kon ik niet verstaan wat ze zeiden. Ik pakte mijn mobiel en keek hoe laat het was. Ik kon niet al te lang hier in de bosjes blijven zitten. Ik moest naar de zonnewijzer.

16.48 uur

Ik zag dat sommige mensen hun mobiel tevoorschijn haalden en foto's van me maakten! Het was alleen nog maar een kwestie van tijd voor iemand zag wie ik was. Maar van die afstand konden ze me toch helemaal niet herkennen? Hadden ze niks beters te doen? Naar dieren kijken of zo?

Net toen ik van plan was om een manier te zoeken om hier zo snel mogelijk vandaan te komen, of iemand me nou zou zien of niet, zag ik iets waardoor de moed me in de schoenen zakte en mijn hart op hol sloeg. Daar boven, midden tussen de mensen en grijnzend als een hyena, stond de man van Sligo, Roodhemd. Hij moest iemand hebben gesproken die me in de bus had zien stappen. Wanhopig zocht ik naar een uitweg. Het leek erop dat ik maar één mogelijkheid had om weg te komen: ik moest mijn geluk beproeven met de traliedeur die ik eerder in de muur had zien zitten.

De mensen werden helemaal gek, alsof ik zelf een wild beest was. Misschien had iemand me inderdaad herkend, maar het enige waar ik aan kon denken was Roodhemd, en hoe ik hem kon ontlopen om op mijn afspraak te komen. Ik móést naar die zonnewijzer. En ik moest hem zien kwijt te raken.

Het was de klank van angst in het geschreeuw van het publiek die maakte dat ik uiteindelijk toch probeerde te verstaan wat ze riepen.

Heel langzaam drongen de woorden tot me door.

'Kijk uit! Maak dat je daar wegkomt,' riep iemand. 'Zorg in godsnaam dat je wegkomt. Er is daar een...'

Alleen het laatste woord kon ik net niet verstaan.

Voorzichtig stond ik op.

Op dat moment zag ik hem, slechts een paar meter van me vandaan.

Ik verstijfde, net als hij. Hij bleef abrupt staan, hief zijn enorme kop en staarde me met zijn meedogenloze gouden ogen strak aan. Een reusachtige leeuw, goudbruin met zwarte manen. Van heel ver weg kwamen nog de geluiden van de menigte die zich op het pad boven het leeuwenverblijf had verzameld, maar toen hoorde ik ook die niet meer. Ik vergat Roodhemd en het gevaar dat hij vormde. Elke vezel, elke cel in mijn lichaam concentreerde zich op het reusachtige dier dat voor me stond. Het zwarte uiteinde van zijn staart zwiepte heen en weer. De hele wereld werd gereduceerd tot hij en ik. Meer zag ik niet, meer bestond er niet.

Ik voelde de adrenaline met enorme kracht door mijn bloed stromen: vechten of vluchten. Een gevecht met dit dier was geen optie. Zijn machtige klauwen konden met één klap al mijn botten breken. Vluchten was de enige manier, maar ik wist dat zodra ik me omdraaide en wegrende, het enorme roofdier achter me aan zou komen, en vier poten gaan sneller dan twee.

Langzaam en zonder mijn ogen van het grote beest af te houden, met bonkend hart en zwetend als een otter, stapte ik naar achteren, voetje voor voetje. Ik probeerde de leeuw met mijn blik te hypnotiseren en bewoog alleen mijn benen terwijl ik me langzaam terugtrok. Ik wist dat als ik zou proberen over de muur te klimmen waarover ik binnen was gekomen, hij me eraf zou plukken als een kitten die naar een touwtje slaat. De enige hoop die ik had, was dat ik de deur achter me kon bereiken. Een donderend geluid joeg me de stuipen op het lijf en ik schrok van de kracht van zijn gebrul. Zijn staart zwiepte sneller en hij hurkte neer met wiebelende achterpoten, net als een kat die op het punt staat een vogel te bespringen.

Ik versnelde mijn terugtocht. Daarop ging de leeuw tot actie over. Hij gaf een luide brul en ik wist dat hij zich op me ging storten.

Ik draaide me om, rende naar de traliedeur en probeerde hem open te duwen.

Hij bewoog geen centimeter.

Ergens klonk een of ander alarm. Daardoor schrok

ik op en ik realiseerde me dat ik de deur naar de verkeerde kant probeerde open te maken. Ik gaf een ruk aan de deur. Maar net voordat ik naar binnen sprong en de deur achter me in het slot gooide, voelde ik iets met een klap tegen mijn been aan slaan.

Het gebrul van de leeuw klonk vlakbij en was oorverdovend. Ik draaide me voorzichtig om en zag tot mijn grote schrik dat de leeuw rechtop tegen de tralies was gaan staan. Ik bad dat die bestand waren tegen het gewicht van het dier. Toen liet hij zich zakken en bleef me door de tralies heen woest aanstaren, brullend van razernij.

16.59 uur

Ik stond in een klein hok met aan de andere kant nog een deur. Ik rende erdoorheen en kwam in een brede gang. Hier klonk het alarm oorverdovend luid. Het zou niet lang duren voor het krioelde van de bewakers, met Roodhemd dicht op hun hielen. Ik moest hier weg! Ik rende de gang door, langs lege kantoren en laboratoria, toen ik mezélf opeens hoorde brullen, van de pijn. Ik keek omlaag en zag tot mijn ontzetting aan de achterkant van mijn spijkerbroek een grote bloedvlek verschijnen. Door een scheur in de stof zag ik een diepe snee, waarin het bloed opwelde. De klauw van de leeuw had me geraakt.

Nu de shock begon te zakken, werd de pijn in mijn been ondraaglijk. Ik leunde heel even tegen de muur, wanhopig en verward. Was alles nu voorbij? Ik zat gevangen, net als de leeuw die een minuut geleden nog tegenover me stond. Ik wist niet waar ik heen moest en er was niemand tot wie ik me kon wenden om hulp. Inmiddels hadden allerlei mensen me vast herkend op de foto's die met mobieltjes gemaakt waren. De foto's zouden hun weg vinden naar televisiejournaals, politieberichten en kranten. Ik had deze tweede ontmoeting laten uitlopen op een ramp. Eén grote ramp. Maar op dit moment kon ik daar helemaal niets aan veranderen. Ik wankelde een lege ruimte binnen en liet me in een stoel vallen, trillend van top tot teen.

17.10 uur

Het leek erop dat ik in een soort voorraadruimte terecht was gekomen. Onder kartonnen dozen zag ik oude kranen en wastafels. Misschien was dit een laboratorium. Mijn oog viel op een doos van een farmaceutisch bedrijf en ik tuurde naar het etiket. Onder een lange wetenschappelijke naam stond iets wat mijn aandacht trok: *injectiespuiten gevuld met verdovingsmiddel.*

Net wat ik nodig had, dacht ik bitter, een verdoving.

Het doordringende geluid van het alarm bracht me weer bij mijn positieven. Dat was geen optie. Ik moest wakker en alert blijven. Ik moest Sligo en Oriana de la Force minstens één stap voor zien te blijven. Ik moest me concentreren op mijn ontsnapping.

17.15 uur

Ik hoorde stemmen naderen. Ik strompelde naar de tafel toe, pakte het doosje injectiespuiten en propte het in een van de vakken van mijn rugzak. Ik keek om me heen of ik ook pijnstillers zag, maar die waren er niet.

Ik moest in beweging blijven. En hoewel ik het gevoel had dat ik geen stap kon verzetten, dwong ik mezelf door te gaan. Ik hoopte maar dat Jennifer Smith wilde geloven dat ik mijn best had gedaan.

Ik liep de gang in, hoorde stemmen en dook een andere lege ruimte in.

Maar een man, een oppasser van de dierentuin, kwam al achter me aan. Ik had geen keus. Ondanks de pijn in mijn been maakte ik een scherpe draai en rende terug naar waar ik vandaan kwam. Achter me hoorde ik hem vloeken en in zijn walkietalkie om versterking vragen. Het bloed sopte in mijn schoen toen ik doorliep.

Helemaal aan het eind van de gang kwam ik voor

een gesloten deur te staan. Wanhopig keek ik om me heen of er een andere uitweg was. Ik dook een leeg kantoor rechts van de afgesloten deur binnen. De ramen zaten ook op slot en de airco zoemde. In een opwelling pakte ik een stoel en gooide die tegen het raam. Daarna rende ik terug naar de deur, smeet hem dicht en deed hem vanaf de binnenkant op slot, in de hoop mijn achtervolgers zo iets te vertragen. Ik ontweek de glassplinters, gooide mijn gescheurde sweater over de uitstekende punten en hees me door het raam, waarna ik twee meter naar beneden viel. De klap waarmee ik op de grond kwam, veroorzaakte een bijna ondraaglijke pijnscheut door mijn been. Ik kwam wankelend overeind en keek om me heen. Ik stond op een smal paadje tussen twee gebouwen in. Het geluid van het alarm klonk hier niet zo indringend, maar ik wist dat de dierentuin vergeven zou zijn van de bewakers, en inmiddels ook van de politie.

17.21 uur

De pijn sloeg pas echt toe toen ik hinkend het smalle pad op rende, langs de andere gebouwen. Een van de dichtstbijzijnde gebouwen was een soort keet met een kleine veranda ervoor, waarop een hele rij laarzen en werkschoenen stond. Erboven hingen regenjacks en jassen. Ik hinkte de twee treden op en greep een van de groene oppassersjacks en een paar grote kaplaarzen. Ik hoopte dat ik daarmee de bloeddoorweekte pijp van mijn spijkerbroek een beetje kon verbergen. Ik schopte mijn gympen uit en trok de laarzen aan. Ik kromp ineen toen ik mijn gewonde been in de laars duwde.

Onhandig kroop ik naar de rand van de veranda en gluurde om de hoek van de keet.

Ik hoorde mensen op weg naar de uitgang praten, delen van gesprekken over wat ze in de leeuwenkuil hadden gezien.

'Hij kan nooit ver gekomen zijn,' hoorde ik.

Een andere stem antwoordde: 'Ik heb een foto van hem op mijn mobiel. Moet je zien. Dat is hem, met die grijze sweater.'

Opgelucht trok ik de groene jas strakker om me heen. De gympen schoof ik in mijn rugzak.

Ik glipte langs groepjes bewakers in kakikleurige korte broeken en met walkietalkies en liep over het pad naar de zonnewijzer. Ik vertraagde niet eens om te zien of er iemand was die Jennifer Smith zou kunnen zijn en passeerde gezinnen met kinderen in buggy's en een klas met hun onderwijzer. Ik werd volledig gedreven door angst, pijn en het wanhopige verlangen weg te komen zonder te worden gezien.

Zo snel als ik kon met mijn trillende benen bewoog ik me over het pad en probeerde op te gaan in de stroom mensen die op weg was naar de uitgang.

17.34 uur

Ik strompelde door het hek naar buiten tussen een groepje middelbare scholieren. Ik deed net of ik bij de groep hoorde; ik bleef dicht bij ze in de buurt en zocht dekking tussen hun geklets en plagerijtjes. Niemand sprak me aan, ondanks m'n groene jack, en niemand zag de pijn in mijn been aan mijn gezicht af, al trokken mijn veel te grote laarzen wel een paar nieuwsgierige blikken. Ik zocht voortdurend om me heen naar Roodhemd, maar zag hem niet.

Mijn been klopte en bij elke stap voelde ik een moordende pijn. Zou Jennifer me ooit nog vertrouwen? Als ik alleen was geweest, had ik me waarschijnlijk op de grond laten vallen en geschreeuwd van pijn en frustratie.

17.52 uur

Verstopt in een bosje vlak bij de dierentuin stak ik mijn been in de lucht om het bloeden te stelpen. Ik probeerde wat uit te rusten en bij te komen en verbond daarna zo goed en zo kwaad als het ging mijn been met een T-shirt dat ik kapot had gescheurd.

Ik gluurde door de struiken en zag allemaal politie bij de ingang van de dierentuin. Die was inmiddels afgezet met lint.

Ik zat in ieder geval aan de goede kant van het lint.

16

Ik kon niet veel anders doen dan de pijn verbijten, een zo onschuldig mogelijk gezicht trekken en bij de mensen gaan staan die wachtten op de laatste bus terug naar het centrum.

Het geronk van een helikopter klonk door de lucht op het moment dat de bus wegreed. Ik was ontsnapt, in elk geval voor nu.

Eerstehulppost
Sacred Heart Hospital

19.05 uur

Snel vulde ik het formulier in, uiteraard met een valse naam. 'Tom' naar mijn vader en 'Mitchell' naar de hond die we hadden toen ik nog klein was.

Misschien was het onnozel om te denken dat ik zomaar van de straat een ziekenhuis binnen kon wandelen, maar ik was zo ver weg van de dierentuin dat ik het wel aandurfde. Het zou wel loslopen. Of misschien kwam het wel doordat ik zo veel bloed verloren had en me licht in mijn hoofd voelde. Misschien kon ik niet meer helder denken.

Het bloeden was eindelijk gestopt toen ik kort na het invullen van het formulier naar binnen werd geroepen. De dokter droeg onder haar witte jas een spijkerbroek.

Ik ging op een van de onderzoekstafels zitten en ze maakte de wond schoon, gaf me iets tegen de pijn en hechtte de snee. Ik zag dat ze de hele tijd met gefronste wenkbrauwen naar de wond keek.

Zwijgend deed ze haar werk, tot ze me een nieuwe injectie wilde geven. 'Vertel nog eens,' zei ze, 'over die grote zwarte hond.'

'Is dat tegen hondsdolheid?' vroeg ik. Ik kromp ineen toen ik de naald voelde.

'Nee,' zei ze. 'In Australië heerst nu geen hondsdolheid, maar een dierenbeet kan gaan ontsteken. Je hoeft je echt geen zorgen te maken, hoor. Vertel me maar wat meer over die hond.'

Ik herhaalde mijn verhaaltje over een grote zwarte hond. Om het wat sappiger te maken voegde ik er deze keer bovendien een voetbal aan toe die ik net een trap gaf.

'Je was aan het voetballen met die laarzen aan?'

'Stom hè?' zei ik. Ja, echt stom... Had ik niet een iets geloofwaardiger verhaal kunnen verzinnen?

Ze zette het verband vast met een clipje en ging rechtop staan. 'Je moet de wond droog houden. De komende drie dagen niet onder de douche of in bad.'

Ik verzekerde haar dat dat geen probleem zou zijn.

'Over twee dagen moet het verband worden verschoond. Ik geef je een brief mee voor je huisarts.'

Ik knikte terwijl zij de brief voor mijn huisarts schreef. Door de open deur zag ik een dokter die stond te bellen en nogal gespannen om zich heen keek. Hij gebaarde naar iemand en voor ik het wist, stond er een beveiligingsbeambte bij hem. De politie had zeker alle ziekenhuizen gebeld over mij. Ik moest maken dat ik wegkwam.

Ik stond op, maar de dokter riep me terug. 'Tom,' zei ze.

Het duurde even voor ik op die vreemde naam reageerde.

'Ik heb in Kenia gewerkt en ik heb zulke wonden eerder gezien. Dat is geen hondenbeet. Alleen de klauwen van een katachtige maken zulke wonden.'

'Het was geen kat, het was een hond.'

'Ik heb het niet over een kat, ik heb het over een katachtige.'

In stilte keken we elkaar aan.

'Ik moet weg. Bedankt,' zei ik en ik haastte me weg van de EHBO, vlak langs de dokter die met de man van de beveiliging had staan praten.

21.09 uur

Doelloos wandelde ik door de donkere stad, ver van het ziekenhuis. De eenzaamheid was nog pijnlijker dan mijn gehechte been. Ik dacht weer aan de leeuw en zijn indringende ogen, hoe die kil in de mijne hadden gekeken... voor hij uithaalde en mijn been openkrabde.

Iets wat ik in die ogen had gezien, gaf me een

13

ongemakkelijk gevoel. Ik vroeg me af of ik uiteindelijk zou breken en inderdaad de 'psycho-tiener' zou
worden die ze dachten dat ik was. Ik was bang dat
de eenzaamheid en het gevoel gevangen te zitten
daar misschien toe konden leiden. Misschien nog
wel eerder dan ik dacht.

Ik zag een telefooncel aan de overkant van de
straat en móést er gewoon heen. Ik toetste het
nummer van Rafe in. Uit angst opgespoord te worden durfde ik mijn mobiel niet te gebruiken.

'Hallo?' klonk Rafe's stem door de krakende tele-
foonlijn.

Ik dacht aan hem, aan de andere kant van de
stad, met het gezicht van mijn vader.

'Met wie spreek ik?' vroeg hij. 'Ben jij dat, Cal?'
vroeg hij en zijn stem werd warm. 'Jongen, luister,
kom alsjeblieft naar huis. Je moeder heeft je nodig.
We hebben je allemaal nodig.' Hij zweeg even en
wachtte op een reactie, maar ik kon niets uit mijn
mond krijgen.

'Ben je er nog?' vroeg hij weer. 'Zeg alsjeblieft
iets.'

'Dag,' fluisterde ik ten slotte. Meer kreeg ik er
niet uit.

'Cal! Je leeft nog! Kom alsjeblieft thuis.'

'Cal?' herhaalde hij na een lange stilte.

'Wie is dat?' hoorde ik mijn moeder op de achtergrond vragen.

Voor hij de kans had om nog iets te zeggen, verbrak ik de verbinding.

21.38 uur

Van Jennifer Smith zou ik nooit meer iets vernemen, hield ik mezelf voor. Al sinds ik uit de dierentuin ontsnapt was, hoopte ik dat ze me zou bellen. Dat ze me de kans zou geven het uit te leggen. Of om een andere afspraak te maken, vanavond nog. Maar wie hield ik nou eigenlijk voor de gek? Als ze wilde bellen, had ze dat allang gedaan. Ik moest terug naar het huis in St. Johns Street om uit te rusten.

Net toen ik de hoop had opgegeven ooit nog iets van Jennifer Smith te horen, ging mijn mobiel. Ik hoopte dat zij het zou zijn. Of Boges.

'Cal, ik ben het. Ik moet je spreken.'

Het was Winter. Ik zag haar voor me, met haar wapperende donkere haren, en vroeg me af waar ze vandaan belde.

'Hoi,' zei ik. Het beeld van haar wapperende haren veranderde in dat van hoe ze over het autokerkhof van Sligo sloop om onderdelen te stelen. Hield ze mij voor de gek, net zoals ze Sligo voor de gek hield? Toch werd, ondanks mijn onzekerheid daarover, op de een of andere manier mijn rotgevoel minder door het horen van haar stem.

'Zullen we afspreken in het Hibiscuscafé? Dat

11

blijft tot laat open. Effe kletsen en een drankje nemen of zo?'

'Je weet hoe ik ervoor sta,' zei ik, want ik wilde door de telefoon niet te veel zeggen. 'Financieel gezien.'

'Hé,' zei ze, 'jij zorgt gewoon voor het gezelschap, ik voor het geld. Oké?' Toen giechelde ze. 'Dat is niet helemaal waar. Sligo zorgt voor het geld, al weet hij het zelf niet.'

Ik glimlachte om haar gegiechel, maar beheerste me toen. 'Ik heb je gezien,' gooide ik eruit. 'Op het autokerkhof van Sligo. Je kroop rond tussen de auto's en keek onder de dekzeilen.'

'Waar heb je het over?'

'Het autokerkhof. Van de week. Ik was naar je op zoek en toen zag ik je rondsluipen.'

'Je vergist je, Cal,' zei ze. 'Waarom zou ík bij Sligo rondsluipen?'

Vergeet dat schattige gegiechel, dacht ik bij mezelf. Denk aan Sligo. Dit meisje hoort bij de kliek van Sligo. Dit meisje liegt dat het gedrukt staat.

'Trouwens,' ging ze verder op vriendelijke toon. 'Ik moet iets met je bespreken. Iets belangrijks. Iets wat heel gevaarlijk is.'

'Wat dan?'

'Dat zeg ik wel als je er bent. Waar zit je?'

'Ik ben niet ver van het Hibiscuscafé. Ik sta vlak voor...' Ik slikte mijn woorden in. Waar was ik mee

bezig? Aan Winter vertellen waar ik was? Voor hetzelfde geld stond Roodhemd naast haar aantekeningen te maken.

'Laat maar,' zei ik en ik dacht snel na. Ik wilde
haar zeker zien. Maar ik moest ergens afspraken
waar ik eerder kon zijn dan zij, ergens waar ik
haar kon zien aankomen om te zien of ze alleen
was. Of niet.

Ik dacht aan de toren met de klok vlak bij Liberty Square; dat was de perfecte plek om haar in de
gaten te houden. Vandaaruit had je zicht op de
hele oostkant van het winkelcentrum en ik wist
dat er een klein cafeetje was dat nog open was.

'Zullen we om tien uur afspreken in de Blue
Note?' vroeg ik.

'Hallo?' zei ik toen ze niet reageerde. De verbinding was blijkbaar verbroken. Ze was weg. Ik zocht
haar nummer om haar terug te bellen, toen ik
schrok van piepende banden.

Een zwarte Subaru kwam met gierende remmen
tot stilstand op het voetpad waar ik stond, op een
paar meter van me vandaan. Roodhemd was al half
uit de auto gestapt.

En zat daar nou nog iemand op de achterbank?
Iemand met donkere, wapperende haren, die me
zojuist in de val had gelokt?

Ik draaide me om en rende weg. De pijn in mijn
been moest ik negeren. Ik schoot als een haas de

weg over, zigzaggend naar de overkant, en lette niet op het getoeter en gevloek van geschrokken en boze chauffeurs. Uit mijn ooghoek zag ik dat Roodhemd achter me aan kwam. Hij was snel. Hij rende precies langs de route die ik net had afgelegd.

Ik dook in elkaar en sprintte zo hard ik kon over het trottoir, duwde mensen aan de kant en rende hoeken om.

Hij hield me gemakkelijk bij.

Bijna was ik bij het station. Ik deed mijn uiterste best om het te halen; ik hoopte dat ik hem zou kunnen afschudden tussen alle late forenzen en feestgangers die op weg waren naar de tientallen laaggelegen perrons.

Maar een snelle blik achterom leerde dat ik hem nog lang niet kwijt was. Roodhemd liep zelfs op me in. De afstand tussen ons werd steeds kleiner en dat wist hij. Ik kon zelfs zijn kwaadaardige grijns al zien toen hij zijn arm uitstrekte om me te pakken. Ik zit vlak achter je, leek die te zeggen. Je bent er geweest!

Ik dwong mijn gewonde been om door te gaan, door te rennen in dit moordende tempo. Ik wist maar al te goed wat er met me zou gebeuren als hij me te pakken kreeg. Marteling. Dood. Ik moest hem kwijt zien te raken.

Metrostation
Liberty Square

Ik sprong en klauterde over een toegangspoortje heen. Ik keek achter me om te zien of ik nog gevolgd werd. De controleur bij de poortjes zei iets in zijn mobilofoon; ongetwijfeld over mij. Ik rende door, hijgend en piepend. Inmiddels begon ook mijn goede been pijn te doen. Maar ik mocht het nu niet opgeven.

Ik rende omlaag naar het perron op het eerste niveau in de hoop in de metro te kunnen springen en zo mijn achtervolger kwijt te raken, maar de trein vertrok net een fractie te vroeg. Er waren nog meer trappen naar nog lager gelegen perrons en ik had geen andere keus dan doorlopen.

Roodhemd denderde achter me aan. In mijn paniek beging ik een stommiteit: ik sprong van halverwege de trap naar beneden. Bij mijn landing voelde ik de hechtingen openspringen.

Ik gilde het uit van de pijn en struikelde, de wond scheurde weer open, maar op de een of andere manier lukte het me om door te lopen. Mijn rugzak bonkte hard en pijnlijk op mijn schouders toen ik de volgende trap af rende. Ik wilde hem van me af gooien, maar dat kon niet. Alles wat belangrijk voor me was, zat in die rugzak.

Onder andere een doos met verdovingsinjecties!

Al rennend in de richting van treinen die de-hemel-mocht-weten-waarheen reden, voelde ik met mijn hand naar achteren, tot ik het vak vond waar-in ik in de dierentuin de injectienaalden had gesto-ken. Mijn vingers sloten zich om een van de spui-ten en ik trok hem naar buiten. Ik bekeek de spuit terwijl ik doorrende. De gevulde injectienaald met het beschermende dopje op de punt zat in een ste-riel zakje. Ik trok het met mijn tanden open.

Het bloed stroomde langs mijn been en de ver-moeidheid begon me parten te spelen.

Ik zag hem de trap af komen naar het perron waar ik overheen rende. Nu was hij onder aan de trap en hij rende onvermoeibaar verder. Er stond maar een handjevol mensen op het perron te wach-ten en niemand lette op die jongen die langs kwam rennen of zijn leven ervan afhing. Een paar vrou-wen trokken hun tas dichter tegen zich aan.

Voor me doemde een donkere tunnel op.

Ik dook erin.

Mijn adem kwam in korte, pijnlijke stoten. Ik was bijna aan het eind van mijn krachten.

Ik draaide me om, zoekend naar Roodhemd.

De adem stokte me in de keel. Hij liep pal achter me. Ik hoorde hem hijgen, zag de razernij op zijn gezicht en zijn woest samengeknepen ogen. Hij zou me deze achtervolging betaald zetten. Hij kon me bijna aanraken. En dat was precies wat ik nodig had. Ik wist niet eens of het wel zou werken, of hoe lang het zou duren voor de verdoving gíng werken.

Ik rende verder de donkere tunnel in, langs een zijspoor. Het perron werd steeds smaller en stopte toen.

Ik had geen keus. Ik sprong naar beneden en rende langs het spoor zo snel ik kon. Het schemerige licht van blauwe lampen scheen op de rails en op de manshoge veiligheidsnissen die op regelmatige afstanden in de tunnelmuur zaten.

Ik hoorde hem grommend achter me van het perron af springen. Bij dat geluid trok ik het dopje van de injectienaald en deed alsof ik over de rails struikelde.

Hij brulde triomfantelijk en verhief zich, klaar om zich op me te storten.

Ik rolde aan de kant en hield buiten het zicht de injectiespuit stevig omhoog.

Hij viel boven op me, greep me met zijn sterke handen beet en ik duwde de naald omhoog, in zijn nek. Ik drukte het pompje in voor hij tijd had om zelfs maar te beseffen wat er gebeurde.

Hij schreeuwde van pijn en schrik. Toen boog hij zich weer over me heen, met zijn gebalde vuisten als een angstaanjagend wapen. Hij viel me aan en ik had nog maar net genoeg kracht om buiten zijn bereik te komen.

Zijn vuisten raakten als eerste de linker rail en toen volgde zijn lichaam. Hij rolde over het spoor, de naald stevig in zijn nek. Ik zag zijn verbaasde blik toen hij probeerde op te staan en achteroverviel. Hij knipperde met zijn ogen, opende en sloot zijn mond alsof hij iets wilde zeggen, maar er kwam geen geluid uit.

Toen zakte zijn lichaam als een lappenpop in elkaar en met zijn ogen naar boven gerold lag hij doodstil.

'Welterusten.'

22.25 uur

Ik liet me in het blauwige licht tegen de tunnelmuur vallen. Mijn borstkas zwoegde op en neer en ik vocht om adem te krijgen. Elke spier deed pijn en bonkte en ik voelde het bloed uit de wond in de achterkant van mijn been druipen. Op het perron stonden een paar mensen te schreeuwen en ik wist dat het niet lang zou duren voor er bewaking kwam. Ze zouden Roodhemd vinden op de rails in de tunnel en ik moest zorgen dat ze mij niet bij hem in de buurt aantroffen.

Ik begon verder te lopen langs het spoor, krabbelde over wissels en veiligheidskastjes die aan de zijkant op de bielzen vastzaten, toen ik het steeds luider wordende gerommel hoorde van een trein in een andere tunnel.

Eerst voelde ik een koel windje, maar toen merkte ik dat er onmiskenbaar een luchtstroom mijn kant op kwam. Het geluid dat ik hoorde, kwam niet uit een andere tunnel, het kwam uit deze buis! En het kwam met een enorme vaart op mij af.

Voor ik me uit de voeten maakte naar een van de nissen in de muur, keek ik om naar het onbeweeglijke lichaam van Roodhemd, die bewusteloos op de rails lag. Ik aarzelde; bijna negeerde ik de drang om terug te gaan en hem aan de kant te leggen, maar ik kon het niet... Ik kon hem daar niet laten liggen, in de baan van een aanstormende trein.

Ik strompelde terug naar Roodhemd en het lawaai werd bijna ondraaglijk. Met al mijn kracht duwde ik mijn handen onder hem, maar net toen ik zijn zware lijf van de rails wilde tillen, verdwenen de blauwe lichten. Het zwart drukte zwaar op mijn ogen; ik raakte in paniek door de plotselinge duisternis en struikelde. Een ondraaglijke pijn schoot door mijn been.

Toen flikkerden de blauwe lampen. Ik zag dat Roodhemds lichaam van de rails af was gerold, maar mijn met bloed doorweekte voet was tussen een biels en een veiligheidskastje gegleden en in een metalen rooster bekneld geraakt.

Er was geen beweging meer in te krijgen.

Het geraas van de trein werd luider. Ik zag in de verte de felle lichten opdoemen. Het zweet gutste van mijn gezicht terwijl ik vertwijfelde pogingen deed mezelf te bevrijden.

De plotselinge druk van de lucht die door de trein vooruit werd gestuwd, sloeg tegen mijn rug. Nog wanhopiger probeerde ik mezelf te bevrijden; ik draaide alle kanten op, probeerde mijn voet los te trekken, probeerde uit alle macht van de rails weg te kruipen.

De trein kwam steeds dichterbij. Ik kon nu zelfs de bestuurderscabine zien boven de koplampen. De machinist had me gezien!

Hij remde en probeerde de trein gillend en piepend tot stilstand te brengen.

Zou ik mijn been kwijtraken?

Ik schreeuwde, maar mijn stem werd opgeslokt door het geluid van de wielen van de trein die vonkend tegen de remmen gleden. Het felle licht verblindde me. Mijn oren deden pijn van de krijsende remmen, het keiharde getoeter en de gillende echo uit de tunnel terwijl de trein op me af bleef denderen. Als een waanzinnige probeerde ik mijn enkel te bevrijden. Ik spande elke spier in mijn lichaam en brulde om hulp.

De trein zou nooit op tijd stoppen en ik zou aan gort worden gereden. Ik gaf een laatste wanhopige ruk om aan dat lot te ontsnappen, maar mijn voet, gevangen in de laars die ik uit de dierentuin had meegenomen, week geen centimeter.

Als in slow motion zag ik de trein dichterbij komen. Mijn lichaam verstijfde van angst. Het leek of de tijd stilstond.

Wordt vervolgd...

Vanaf 1 maart in de winkel:

COMPLOT 365
MAART

★ Ontsnapt Callum aan de aanstormende trein?
★ Blijft hij uit handen van Vulkan Sligo
en Oriana de la Force?
★ Zal zijn zusje Gabi uit haar coma ontwaken?
★ Wie is toch die jongen die zo enorm op hem lijkt?
★ En is Winter Frey eigenlijk wel te vertrouwen?

Surf naar **www.complot365.nl** en
discussieer mee op het forum.
Check ook meteen de trailer, de poll en de downloads.

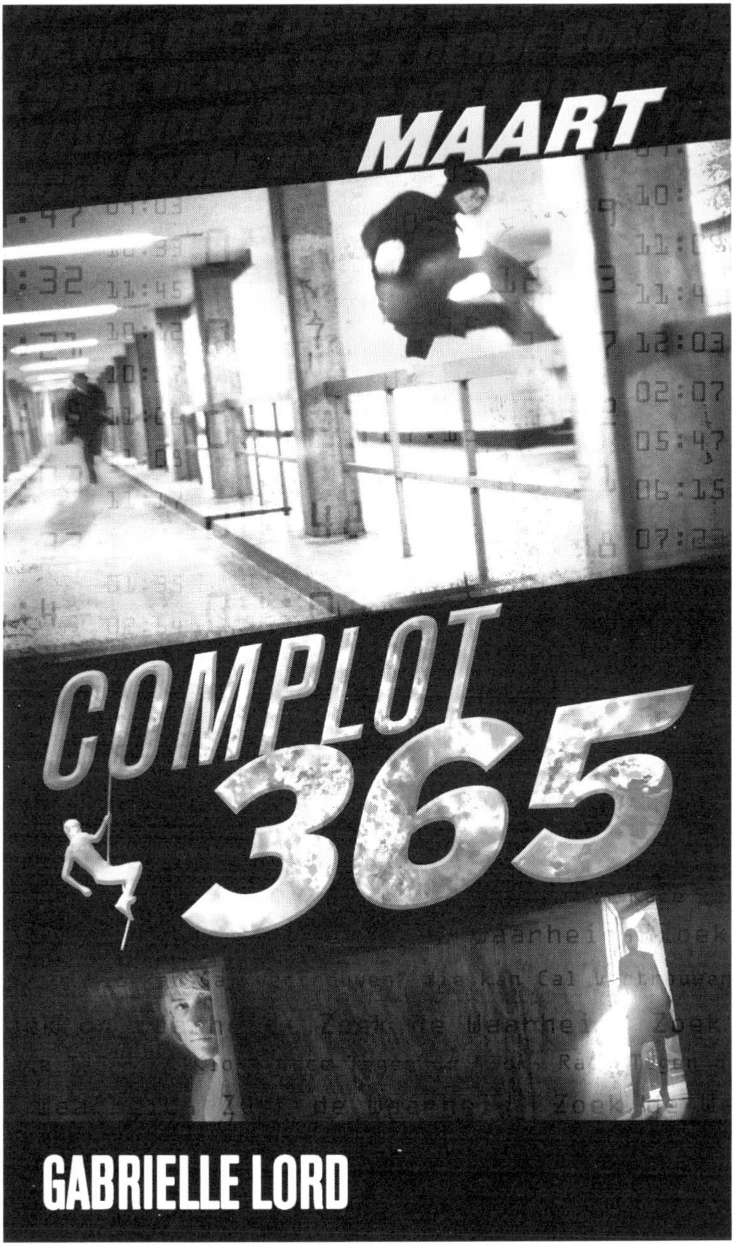
MAART
COMPLOT
365
GABRIELLE LORD